창의력 컴퓨팅사고를 위한
소프트웨어의 이해

창의력 컴퓨팅사고를 위한
소프트웨어의 이해

발행일 2019년 11월 10일 초판 1쇄

지은이 강민수 · 성재경 · 성창경 · 임명재 · 정동근 · 한성훈

펴낸이 심규남

기 획 심규남 · 이정선

표 지 이경은 **| 본 문** 이경은

펴낸곳 연두에디션

주 소 경기도 고양시 일산동구 동국로 32 동국대학교 산학협력관 608호

등 록 2015년 12월 15일 (제2015-000242호)

전 화 031-932-9896

팩 스 070-8220-5528

ISBN 979-11-88831-26-5

정 가 19,500원

강민수·성재경·성창경·임명재·정동근·한성훈 공저

창의력
컴퓨팅사고를 위한
소프트웨어의 이해

YD 연두에디션
Edition

저자 약력

강민수 교수 | 을지대학교 의료IT학과

을지대학교 의료원 전산처 통합전산센터장과 한국인공지능학회 편집위원장, 을지대학교 병원의 심장내과, 류마티스 내과, 진단검사의 학과와 함께 의료분야의 머신러닝 연구를 진행 중이다.
광운대학교 로봇학부의 전신인 제어계측공학과 입학하여 동대학원에서 ASIC제작을 위한 설계와 센서, USN, 로봇에 인공지능 적용을 위한 연구를 진행했으며 한양대학교 융합전자공학부 겸임교수, 한양사이버대학교 정보통신공학과 교수를 거쳐 (舊)지식경제부의 RFID/USN Program Director 업무를 수행하였다. 저서로는 서울특별시 교육감 인정 교재인 〈머신러닝 시작하기〉, 〈RFID기초〉, 〈VHDL을 이용한 디지털 회로설계〉, 〈국가공인 RFID GL 기술자격검정〉 등을 출간하였다.

성재경 교수 | 세종대학교 연구교수

컴퓨터공학을 전공하여 공학박사학위를 취득하였고, (주)에이전텍 대표이사를 역임하면서 약 20여개의 게임을 제작하였다. 현재는 세종대학교에서 빅데이터와 인공지능에 관련하여 국가 프로젝트를 수행중에 있으며, 딥러닝기반 리뷰 데이터를 활용한 감성분석과 쇼핑몰 이미지 카테고리 자동분류에 대해 연구하고 있다.

성창경 교수 | 백석대학교 디자인 영상학부

홍익대학교 미술대학 조소학과에 입학하여 수학하고 졸업 후에 연세대학교 커뮤니티대학원의 전신인 영상대학원에서 석사학위를 취득하였다. 동국대학교 영상대학원 멀티미디어학과에서 콘텐츠디자인전공으로 박사학위를 취득하였으며, 전공을 살려 출판사 하늘붕어에서 기획팀장과 오렌지나무 대표이사를 역임했다.

임명재 교수 | 을지대학교 의료IT학과

소프트웨어공학을 전공하여 공학박사학위를 취득하였으며, 현재 고용 노동부 고용창출 심사위원과 교육부 교과과정 심의위원, 정보통신 연구 진흥원 벤처기업 평가 위원으로도 활동을 하고 있다. 한국 인터넷방송학회의 수석이사로 활동을 하면서 유·무선 통신환경에 대한 연구와 보안 적용 기술에 연구를 진행 중이다. 저서로는 정보통신부 지원 사업 교재개발로〈모델링 구성 및 활 용〉과 〈소프트웨어 공학 기초〉 등 다수의 서적을 출간하였다.

정동근 교수 | 을지대학교 의료IT학과

전자공학을 전공하여 박사학위를 취득하였고, 을지대학교의 전신인 서울보건전문대학교때 전자계산소장과 교무처장등을 역임하면서 인재 양성에 힘써왔다. 다양한 산학컨소시엄 연구와 개발에 참여 하여 멀티미디어 학습기와 e-buisness 전략 개발, 광통신 장비 모니터링용 SNMP프로그램등을 개발하고, 최근에는 IoT를 기반으로 하는 메이커 운동에 많은 관심을 갖고있다. 저서로는 〈C언어 따라하기〉와 〈객체지향언어 C++따라하기〉 등이 있다.

한성훈 교수 | Research of Director PILAB.

컴퓨터공학과 정보보호 전공으로 공학박사학위를 취득하였으며, 다양한 IT 관련 분야에서 실무를 경험하면서 JAVA, 임베디드시스템, 빅데이터 등을 강의해왔고, 전현직 회사에서는 주로 임베디드시스템과 응용애플리케이션등의 개발 업무를 담당하였으며, 현재는 의료장비기기솔루션 개발 회사의 연구소장으로 재직하고 있다. 또한, 한국정보통신학회의 산학협력이사와 논문심사위원으로 활동하며 주 관심분야인 RTLS와 센서네트워크에 대한 연구를 통해 다양한 IT 실무 경험과 지식을 활용하여 독자들에게 쉽고 빠른 전달을 위한 강의와 집필에 매진하고 있으며 저서로는 〈자바 쉽게배우기〉, 〈엑세스 2000〉 등이 있다.

PREFACE

소프트웨어와 변화하는 사회를 중심으로 4차 산업혁명 시대에 접어들면서 그 파급효과는 소프트웨어의 중요성을 더욱 커지게 하고 있으며, 소프트웨어 중심 사회와 융합을 포함한 기술들이 주목받고 있다.

최근에는 컴퓨터를 사용하는 것만이 아닌 직접 컴퓨터 프로그래밍을 할 수 있는 코딩Coding 능력이 요구되고 있으며, 초등학생부터 대학생까지 일상적인 사고와는 다른 '컴퓨팅 사고'에 대한 관심이 부쩍 커지고 있다.

우리나라를 비롯한 전 세계에도 컴퓨터 교육이 이전에 하던 컴퓨터를 다루는데 그치지 않고 이제는 컴퓨터의 프로그램을 만드는 교육으로 바뀌면서, 다양한 사고와 창의적 사고를 가진 인재를 필요로 하고 있다.

따라서 프로그래밍이 선택이 아닌 필수가 되고 있는 시대에 접어들면서 다양한 소프트웨어 및 코딩과 관련된 내용을 알기 쉽게 핵심만을 다뤄 간단한 설명과 다양한 응용 예제를 포함한 책의 필요성이 대두되었다. 이에 본 저서는 우리가 이해하기 어려운 소프트웨어와 컴퓨팅 사고를 일상생활에서 찾아볼 수 있는 내용으로 다뤘으며, 4차 산업혁명에서 대두되고 있는 빅 이슈인 사물인터넷과 빅데이터, 그리고 인공지능 등의 내용을 쉽게 비전공자의 시선에서 설명하였으며, 직접 프로그래밍을 할 수 있도록 누구나 따라 할 수 있는 코딩의 개념을 형성할 수 있도록 구성된 스크래치와 코딩의 개념을 구체화할 수 있는 내용으로 구성된 파이썬, 피지컬 코딩을 구현할 수 있는 아두이노를 실습 예제로 구현하였다.

마지막으로는 인공지능의 개념과 기계학습을 위한 환경 설정과 예제를 다뤄 누구나 프로그램 개발에 관심을 가질 수 있도록 책의 내용을 꾸몄다.

이 책의 특징은 다음과 같다.

PART 1

컴퓨팅 사고를 위한 소프트웨어를 이해할 수 있도록 소프트웨어의 정의와 생활 속의 소프트웨어를 다양한 예를 들어 설명하였으며, 소프트웨어 중심 사회 시대에서 우리가 가져야 하는 컴퓨팅 사고에 대하여 다뤘다.

PART 2

4차 산업 혁명과 아두이노를 주제로 보다 쉽게 이해할 수 있도록 쉽고 간단명료한 설명과 함께 실습을 구현하였고, 현재 많은 관심을 끌고 있는 와 4차 산업 혁명의 빅 이슈과 인공지능에 대하여 설명하였다.

PART 3

코딩이라는 것을 누구라도 이해할 수 있도록 간단하고 쉬운 예제를 통해 프로그래밍을 할 수 있도록 스크래치와 파이썬으로 학습의 효과를 높이도록 하였으며, 마지막에는 기계학습을 할 수 있는 환경 설정과 예제를 다뤘다.

IT 연구회

CONTENTS

PART 1 컴퓨팅 사고를 위한 소프트웨어의 이해

PART 2   4차 산업혁명과 사물인터넷

CHAPTER 8 사물인터넷과 아두이노   088

PART 3 프로그램 실무

CHAPTER 9 **스크래치 이해** 143

CHAPTER 10 **스크래치 블록의 종류 알아보기** 151

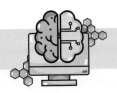

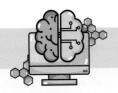

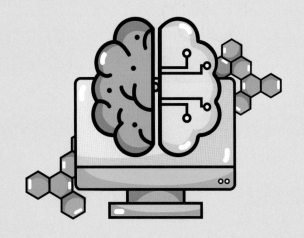

컴퓨팅 사고를 위한
소프트웨어의 이해

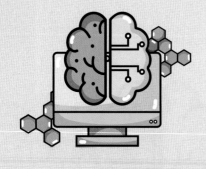

P A R T 1

CHAPTER 1

컴퓨터의 이해

'계산한다'는 뜻의 라틴어 'Computare'에서 유래된 컴퓨터Computer는 전자회로를 이용해 다양한 종류의 데이터를 처리하는 기기로, 고대의 주판과 근대의 기계식 계산기를 거쳐 산업 혁명기에 찰스 배비지Charles Babbage가 고안한 미분엔진으로 발전해 왔다. 이후 영국의 앨런튜닝Alan Turing은 제2차 세계대전에 독일 나치의 암호인 에니그마Enigma를 해독하기 위해 연구된 암호 해독기를 근간으로 튜닝기계를 통해 현대 컴퓨터의 소프트웨어와 하드웨어의 개념을 이끌어 냈다. 이후 최초의 대형 전자식 디지털 컴퓨터인 에니악ENIAC : Electronic Numerical Integrator and Calculator의 등장을 계기로 본격적인 디지털 컴퓨터 시대를 열었으나, 1960년대의 컴퓨터는 단순히 거대한 계산기로만으로 생각하다가 여러 명의 사용자가 하나의 컴퓨터를 동시에 이용할 수 있는 메인프레임MainFrame 컴퓨터를 사용하던 1970년대 중반에 이르러 스티브잡스가 개인이 컴퓨터를 사용하는 개인용 컴퓨터를 탄생시켜 새로운 시대를 만들어 냈다. 이때까지 컴퓨터 시장을 독점하던 IBMInternational Business Machines Corporation은 1980년대 초 현재의 PCPersonal Computer로 애플 컴퓨터와 경쟁체제를 이루었으나, 소프트웨어와 운영체제의 분야를 마이크로소프트MS : Microsoft와 썬마이크로시스템즈Sun : Sun Microsystems에게 밀려 IBM에서 개발한 PC의 아키텍처를 공개함으로써 PC의 대중화에 한 몫을 했다. 이를 계기로 컴퓨터의 하드웨어와 소프트웨어 그리고 운영체제의 발전이 가속화 되었고, 1990년대 중반에 인터넷보급이 대중들에게 활발히 이루어지면서 2000년대

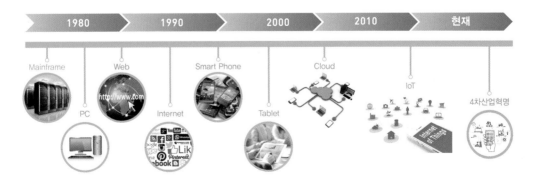

그림 1-1 컴퓨터의 시대적 발전

에는 웹 2.0으로 발전을 이루고 현재에는 휴대성을 강조하는 기기들의 등장과 소셜네트워크서비스SNS : Social Network Services/Site 시대를 거쳐 완전한 지능을 갖춘 로봇과 인공지능 시대를 향해 가고 있다. 또한 컴퓨터 분야는 끊임없이 발전을 하고 있으며, 컴퓨터뿐만이 아니라 다양한 학문과의 연계, 응용하여 새로운 학문을 탄생시키고 있다.

1.1 소프트웨어

1.1.1 소프트웨어의 정의

(1) 하드웨어

컴퓨터의 중앙처리장치, 기억장치, 입출력장치와 같은 전자 · 기계장치로 구성되어 있으며, 중앙처리장치의 제어 신호에 따라 다른 장치들이 동작하게 된다.

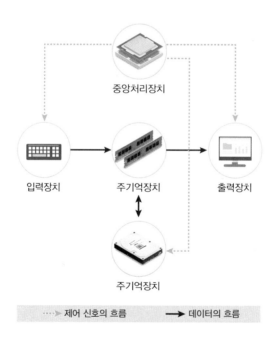

그림 1-2 하드웨어 장치간의 제어 신호와 데이터 흐름

- **중앙처리 장치**CPU : Central Processing Unit : 명령어를 해독하고 실행하는 장치로 제어장치와 연산장치, 레지스터로 구성
- **기억장치**Memory Unit : 실행중인 프로그램과 프로그램에 필요한 데이터를 저장하는 장치

‣ **레지스터** : CPU에서 명령어를 실행하는 동안 필요한 정보들을 저장하는 장치

‣ **캐시기억장치** : CPU가 자주 필요로 하는 프로그램의 일부와 데이터를 저장하여 동작하는 장치

‣ **주기억장치** : 프로그램이나 자료를 이동시켜 실행시킬 수 있는 기억장치
  🖼 ROM, RAM

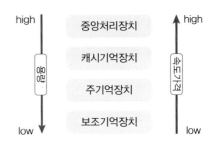

그림 1-3 기억장치의 계층 구조
(레지스터, 캐시, 주, 보조 설명)

표 1-1 ROM과 RAM 비교

ROM (Read Only Memory)	RAM (Read Access Memory)
읽기만 가능	읽기, 쓰기 가능
비교적 느리다	빠르다
비 휘발성 메모리	휘발성메모리

‣ **보조기억장치** : 컴퓨터의 중앙처리장치가 아닌 외부에서 프로그램이나 데이터를 보관하기 위한 기억장치
  🖼 HDD, SSD, CD-ROM

표 1-2 CPU와 기억장치 비교

이름	CPU	램	하드디스크
분류	중앙	주기억장치	보조기억장치
속도	매우 빠름	빠름	매우 느림
비고	기억장치에서 데이터를 받아들여 연산 작업	전원이 꺼지면 데이터가 지워짐	전원이 꺼져도 데이터가 지워지지 않음

‣ **입출력장치**(input/output unit) : 외부의 데이터를 컴퓨터로 읽어 들이는 장치와 컴퓨터에서 처리한 결과를 사람이 이해할 수 있는 형태로 변환해주는 장치

예 입력장치 :키보드, 마우스

출력장치 : 모니터, 프린터, 스캐너 등

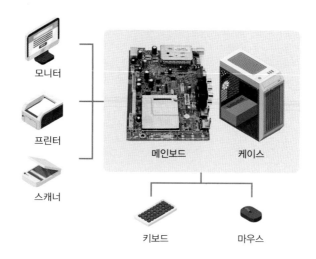

그림 1-4 컴퓨터 입·출력 장치

(2) 소프트웨어

소프트웨어란, 컴퓨터 기기를 작동하게 만드는 프로그램과 그에 관련된 문서들을 의미한다. 하드웨어Hardware라고 불리는 컴퓨터 기계장치부에 대응한다. 프로그램 중에는 ROM에 기록되어 변경하기가 어려운 것도 있는데 이러한 것은 중간적인 성격을 갖는다고 하여 펌웨어Firmware라고 한다. 소프트웨어는 크게 시스템 소프트웨어와 응용 소프트웨어로 나눈다.

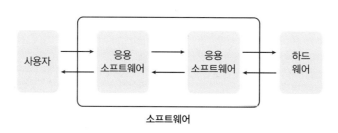

그림 1-5 컴퓨터 시스템의 계층적 구조

1.1.2 소프트웨어의 종류

소프트웨어의 종류는 크게 시스템 소프트웨어와 응용 소프트웨어로 구분할 수 있다.

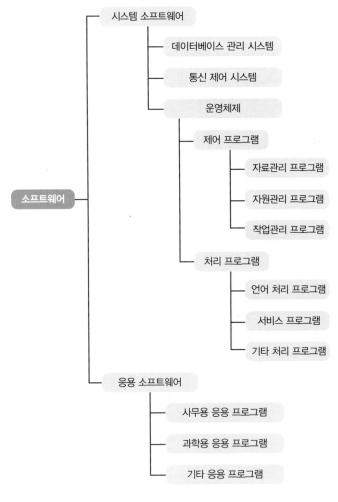

그림 1-6 소프트웨어의 종류

시스템 소프트웨어는 어느 문제에나 공통적으로 필요한 프로그램들로서 운영체제
(WINDOW, MAC, UNIX/LINUX 등), 언어번역 프로그램으로서 컴파일러(C/FORTRAN
컴파일러 등)와 어셈블러, 입출력 제어 프로그램 등으로 컴퓨터를 제작하는 회사들이 만들
어 공급한다.

그림 1-7 각종 운영체제

응용 소프트웨어는 이러한 시스템 소프트웨어를 특정한 응용 분야에 사용하기 위해 개발되어 실제 사회에서 일어나는 문제들을 풀어주는 역할을 해주는 프로그램들이며 사무자동화 · 수치연산 · 게임 등 다양하다.

■ 대표적인 응용 소프트웨어

- **워드프로세서** : 문서의 작성, 편집, 인쇄 등의 기능을 수행하는 프로그램

  예 한글, 워드

그림 1-8 아래한글과 ms-word

- **스프레드시트** : 수식을 쉽게 계산해주고 통계 처리 등의 기능을 수행하는 프로그램

  예 한셀, 엑셀 등

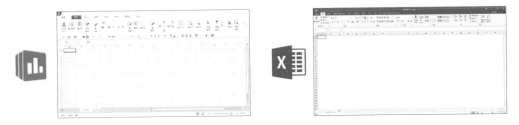

그림 1-9 한셀과 ms-excel

- **프레젠테이션 프로그램** : 도표, 도형, 애니메이션 효과 등을 이용하여 발표 자료를 쉽게 작성하는 프로그램

예 한쇼, 파워포인트

그림 1-10 한쇼와 ms-powerpoint

- **그래픽 프로그램** : 원하는 그림을 그리거나 만들어진 이미지를 수정하는 기능을 가진 프로그램 등이 있다.

예 포토샵, 일러스트레이터

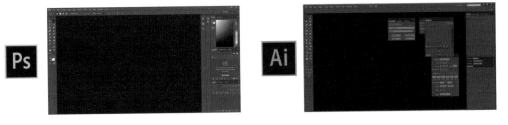

그림 1-11 어도비 포토샵와 어더비 일러스트레이터

1.2 소프트웨어의 미래

1.2.1 과거의 소프트웨어 역할

• 하드웨어와 소프트웨어의 비중

과거에는 하드웨가 더 높았다.

컴퓨터를 사용하기 시작한 1960년대는 하드웨어만을 중요시하고 소프트웨어는 무료로 공급했으나 이제는 소프트웨어의 중요성과 독립성이 널리 인식되어 소프트웨어의 가격이 하드웨어와 별도로 책정되는 경향이 뚜렷해졌고, 소프트웨어 가격이 하드웨어 가격보다 낮은 경우도 많았다. 하지만 기술의 발전으로 컴퓨터의 부품이 대량생산 체계를 갖추기 시작하면서 하드웨어 가격이 계속 저렴해지고 또 자주 교체됨에 따라 이제는 컴퓨터시스템을 선택할 때 과거와는 반대로 소프트웨어가 더 중요한 역할을 한다. 소프트웨어가 생산성을 얼마나 높여주는가의 여부, 하드웨어가 바뀌더라도 거기에 적응할 수 있는 소프트웨어인가의 여부, 유지보수를 하는 것이 효율적인가의여부 등이 중요한 요구조건이 되고 있고, 또한 중요한 연구개발 대상이 되고 있다.

1.2.2 현재의 소프트웨어 역할(패러다임의 변화)

• 하드웨어와 소프트웨어의 비중이 현재에는 소프트웨어가 더 높다.
• 학문적 융합이 패러다임을 변화

세계는 지금 빠르게 변화하고 있으며, 특히 컴퓨터라고 불리던 전자 기기 장치는 점점 소형화가 되면서 현재에는 스마트폰이라는 운영체제를 탑재한 제품이 나오고 난 이후에 컴퓨터는 유통과 제조, 소프트웨어 패러다임이 완전히 바뀌었다.

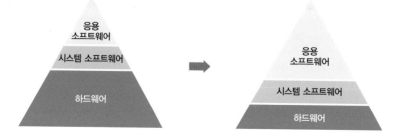

그림 1-12 하드웨어와 소프트웨어의 비중 변화

앞서 말한바와 같이 시스템 소프트웨어는 하드웨어 응용소프트웨어 사이에서 컴퓨터 효율적으로 관리하도록 설계되었는데, 하드웨어의 발전 속도가 조금씩 올라가고 있는 반면, 소프트웨어의 발전은 빠른 속도로 이루어지고 있으며, 대표적인 사례가 스마트폰, 컴퓨터 PC 소프트웨어이다.

그림 1-13 기술 발전에 따른 기기의 다양성

기술의 발전은 스마트폰으로 VR, AR까지 가능하고 결제까지 편리하게 할 수 있는 시대를 만들었으며 하드웨어에 관련된 부품이나 제품이 나오는 속도보다 스마트폰만 하더라도 어플리케이션이 제작되는 속도가 수십 ~ 수백 배가 빠르고, 이를 각종 기기인 스마트 TV, PC, 웨어러블 기기까지 합치면 세계는 이미 하드웨어에서 소프트웨어로 추세가 넘어갔다고 할 수 있다.

1.2.3 미래의 소프트웨어 역할(패러다임의 생성)

- 소프트파워가 미래 사회의 경쟁력으로 톡톡 튀는 아이디어로 승부하는 경쟁 사회
- 창의성과 아이디어만으로 창업과 글로벌 사업화가 가능

2007년에 스티브잡스는 기존에 컴퓨터가 가지고 있던 패러다임을 완전히 종결시키는 제품을 대중들에게 선보였다. 이 기기는 그동안에 사람들이 컴퓨터를 사용하기 위해 책상이나 무릎위에 올려놓고 사용하여 데스크탑이라고 불리던 기기들을 더 작은 공간인 손바닥 위에서 사용할 수 있게 만들었다. 이에 사람들은 이 기기에 열광하게 되었고 이 기기로 인해 또 한 번의 기술의 발전이 비약적으로 이루어질 수 있게 한 것은 스마트폰이었다.

스마트폰의 등장으로 더 이상 컴퓨터를 어딘가에 올려놓고 사용한다는 관점이 손바닥

보다 더 작은 공간에서 이루어지기 보다는 컴퓨터 자체를 인간의 몸에 착용하는 형태로 변화하게 되는 계기가 된 것이다.

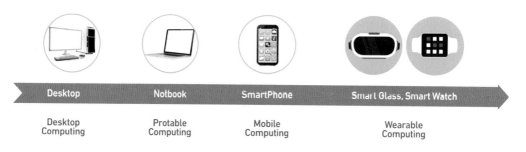

그림 1-14 컴퓨터 패러다임의 변화

 이러한 패러다임의 변화는 IT융합이라는 학문으로 발전하여, 다양한 학문 분야의 영역을 넘어서 학문들 간의 융합으로 인간의 삶을 윤택하게 하고 산업을 고도화할 수 있는 기술로 발전할 수 있는 토대를 만들게 되었다. 학문 간 융합은 미래의 성장 동력이자 다종다양한 분야의 상상력, 창조성의 원동력으로서 지식과 기술, 산업의 지도 등을 바꾸어 가고 있다.

 융합을 통해 발전된 대표적인 기술로는 사용자 인터페이스 기술과 증강현실 기술을 융합한 '스마트폰', 그래픽 기술과 모션 캡처 기술, 3D 기술을 총동원한 영화 '블록버스터', 인간의 아날로그적 신체성이 디지털 게임과 결합한 가상현실게임까지, 기술 융합이 낳은 다채로운 문화 현상이 융합 시대를 잘 말해주고 있다.

 또한 기존 제조업 분야에서도 소프트웨어의 비중은 점점 확대되고 있다. 개발원가 중 소프트웨어의 비중은 이제 자동차, 항공, 의료 서비스 분야에 절반이 넘는 개발 원가를 차지하는 등 전 산업의 고부가가치에 필수 요소다.

 그뿐만 아니라 소프트웨어는 새로운 산업을 창출하는 국가경쟁력의 요소이기도 하다. 스마트 미디어 시대가 본격화하면서 소프트웨어는 기존의 기업용 중심에서 앱이나 일반 사용자용 소프트웨어 중심으로 바뀌고 있다. 이에 따라 소프트웨어는 소비자 대상의 수많은 새로운 서비스를 창출하는 기반 역할을 한다. 구글은 스마트폰, 스마트 TV에 안드로이드를 탑재하여 콘텐츠를 제공하고 있으며, 기업들은 앞 다퉈 스마트 기기·TV·가전과 플랫폼, 콘텐츠 연계 서비스를 추진하고 있다. 이렇게 이들은 하나의 생태계를 만들어 개별 기업이 아니라 커다란 생태계 간 경쟁을 주도하고 있는 것이다.

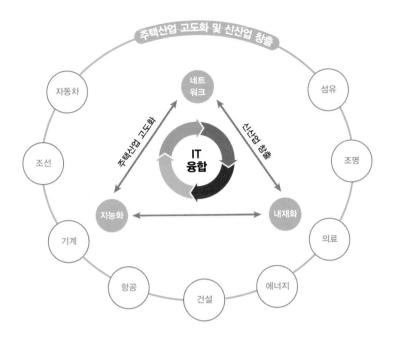

그림 1-15 IT 융합의 신산업 창출

이처럼 기술의 시장과 소프트웨어의 역할 역시 빠르게 발전하고 있는 가운데 미국과 영국 등 선진국에서는 소프트웨어 교육의 필요성을 빠르게 인식시키고 있다.

1.2.4 소프트웨어 중심 사회

(1) 소프트웨어 중심사회 정의

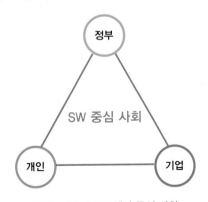

그림 1-16 소프트웨어 중심 사회

소프트웨어 중심사회란 '소프트웨어(SW)가 혁신과 성장, 가치창출의 중심이 되고 개인·기업·국가의 경쟁력을 좌우하는 사회'라고 소프트웨어 정책연구소(SPRI)에서는 정의하고, 2014년 7월 미래창조과학부에서는 'SW중심사회 실현전략 보고회'를 통해 SW가 개인·기업·정부 전반에 광범위하게 사용되어 삶의 질을 향상시키고 기업과 정부의 경쟁력이 지속적으로 제고되는 사회로서 아이디어와 상상력을 SW로 실현하고 문제점을 SW로 해결하는 사회이자 창의·개방·협력문화가 SW를 매개체로 하여 일상화되는 사회라고 정의하였다.

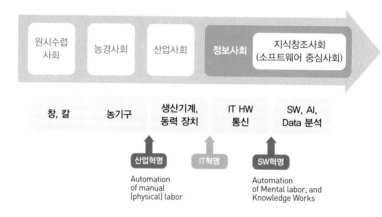

그림 1-17 기술적 혁명과 사회진화

(2) 소프트웨어 중심사회 특징

그림 1-18 사회패러다임 변화와 SW 중심사회

소프트웨어 중심사회의 등장 배경 중 가장 핵심요인은 인터넷으로 대표되는 SW혁명으로 사회패러다임의 변화를 이끌었다. 특히, 인터넷과 스마트폰의 보급 및 소셜미디어의 확산은 사람들의 사고방식, 생활패턴, 기업의 업무환경, 마케팅 방식에 변화를 초래하였다. 예를 들어, 기업 업무환경의 변화는 스마트워크Smart Work, 소셜미디어마케팅Social Media Marketing 등 새로운 업무처리 형태를 만들었으며, 이에 따른 사회적 인재상도 과거와 다르게 변화하고 있다. 과거에는 근면, 성실을 강조하던 시대에서 자기 학문분야의 전문성을 가진 인재상을 선호한 시대를 거쳐 현재에는 독특한 상상력과 창의력을 바탕으로 새로운 시장을 만들고 미래사회를 선도해 가는 사람이 인재상으로 대두되고 있다.

그림 1-19 소프트웨어 사회의 인재상

1.3 소프트웨어 리터러시

1.3.1 새로운 개념의 등장

사실상 소프트웨어 리터러시Software Literacy는 새로운 개념이다. 그 정의에 대해 전반적인 합의가 아직 명확하게 이루어지지 않은 신생 개념으로, 관련 연구와 논의가 이제 시작된 단계다. 물론 소프트웨어가 디지털 미디어 시대의 중추이자 모든 산업의 인프라로 대두 되면서 소프트웨어 전문가를 양성하기 위한 교육적 관심이 국가적으로 모아졌다. 또한 단순히 직업적 차원을 넘어 이제는 학교교육을 통해 초·중·고교 학생에서 대학생까지 소프트웨어 리터러시를 교육해야 한다는 논의가 전 세계적으로 이루어지고 있으며, 실제로 우리나라를 비롯해 미국·영국 등 많은 국가에서 교과과정에 소프트웨어 교육을 도입하고 있는 상황이다.

1.3.2 소프트웨어 리터러시의 정의

소프트웨어 리터러시 전에 등장한 컴퓨터 리터러시는 컴퓨터에 대한 기본 능력으로서, 컴퓨터가 어떻게 작동하며 그것을 어떻게 사용할 수 있으며, 컴퓨터가 사회에 미치는 영향은 무엇인지에 대한 이해 등을 의미했다(Ball & Charp, 1977; Johnson, et al., 1980).

그림 1-20 디지털리터러시 모델

소프트웨어 리터러시는 다른 미디어 리터러시와 마찬가지로 소프트웨어의 구조와 원리를 이해하고 프로그래밍을 통해 관련 지식을 활용할 수 있는 능력이라 할 수 있다. 즉, 소프트웨어 리터러시는 단순히 컴퓨터를 사용할 줄 아는 능력이 아니라 탐색한 정보에 대한 비판적 사고력과 정확한 이해를 기반으로 자신의 목적에 활용할 수 있는 능력인 디지털 리터러시Digital Literacy의 일부분으로 소프트웨어 시대에 학습자가 갖추어야 할 핵심 역량이다. 따라서 소프트웨어의 기본 개념과 원리에 대한 이해를 토대로 한 문제 해결 능력, 시스템 설계, 즉 프로그래밍 능력, 인간 행동에 대한 이해 능력 등을 포함한다고 하겠다.

1.4 생활 속 소프트웨어

1.4.1 문서 편집 및 계산

과거에 자필로 작성하던 서신들을 각종 문서 편집기인 워드 프로세서를 통해 자유롭게 작성을 할 수 있으며, 가계부와 같이 다양한 계산이 필요한 업무에 자동으로 할 수 있는 스프레드시트가 있다.

그림 1-21 각종 문서 편집과 계산

1.4.2 증권거래

컴퓨터 네트워크를 활용해 주식을 매매하는 전자적인 증권거래로 실시간으로 변화하는 주식 시세를 장소에 구애받지 않고 이용할 수 있다.

그림 1-22 스마트폰 증권거래

1.4.3 금융거래

은행 점포를 방문하지 않고 비대면으로 은행 업무를 할 수 있어 시간과 거리의 제약으로 은행 점포를 방문하기 어려운 사람들은 은행 업무에 필요한 시간을 절약하는데 효과적으로 활용 할 수 있다.

그림 1-23 스마트폰 뱅킹과 인터넷 뱅킹

1.4.4 쇼핑

오프라인 매장을 찾지 않고 원하는 제품을 가격비교를 통해 구매할 수 있어 비용과 시간을 절약할 수 있다.

그림 1-24 인터넷 쇼핑

1.4.5 교육

한정된 수업공간에서 벗어나 시간과 장소에 구애받지 않고 다양한 교육 콘텐츠를 선택하여 자기에게 맞는 학습시간을 조절 할 수 있고 반복 적인 학습을 통해 효과적인 교육을 수강 할 수 있다.

그림 1-25 온라인 교육

1.4.6 게임

온·오프라인을 통해 다양한 게임을 즐길 수 있으며, 온라인 커뮤니티를 만날 수 있다.

그림 1-26 온·오프라인 게임

1.5 4차 산업 혁명

1.5.1 산업 혁명의 발전

우리 사회는 기술의 발전을 통해 많은 업적들이 발생하게 되었는데, 그 중심에는 산업혁명이 일어나면서 새로운 사회로의 진입을 통해 삶의 질이 많이 윤택하게 되었다.

산업 혁명의 시작은 1784년 영국에서 증기기관과 기계화로 대표되는 1차 산업혁명으로 철도와 선박 등 이동수단의 발달로 세계의 물리적 거리가 급격히 좁혀지는 계기가 되었고, 이는 1870년 전기를 이용한 대량생산이 본격화된 2차 산업혁명으로 발전되어 상품과 서비스가 대중화되면서 물질적으로 풍요로운 시대를 맞게 되었다.

1969년 인터넷이 이끈 컴퓨터 정보화 및 자동화 생산시스템이 주도한 3차 산업혁명으로 시간과 공간의 거리를 거의 해소하는 데 극적으로 기여하여 소통 방식이 달라지고, 지구촌은 실시간으로 연결되고, 경제 행위를 크게 바꾸어 놓았다. 그리고 현재는 로봇이나 인공지능(AI)을 통해 인간의 지능을 닮은 기계를 만들어 인간이 하던 많은 일을 대신하게 해서 실제와 가상이 통합돼 사물을 자동적, 지능적으로 제어할 수 있는 가상 물리 시스템의 구축이 기대되는 산업상의 변화를 이루고 있다.

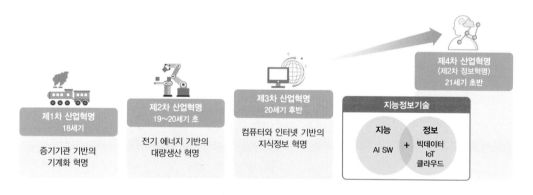

그림 1-27 산업혁명의 발전

1.5.2 4차 산업혁명과 변화하는 기술 트렌드

4차 산업 혁명은 '모든 것이 상호 연결되고 보다 지능화된 사회로 변화'한다는 특징으로 '초연결성', '초지능화', '융합화'를 기반으로 하고 있다. 또한 전 세계적으로 떠오르고 있는 인구감소 및 고령화, 기후변화 및 환경문제, 에너지 이슈, 글로벌화 등은 지속적으로 과학 기술혁신 환경 분야에 막대한 영향을 미치고 있다.

AI, 빅데이터 등 유망 첨단기술 분야의 기대가 높아짐에 따라 기술혁신 생태계 구축을 위한 각국별 연구개발 전략이 경쟁적으로 추진되고 있으며, 미국, 일본, 중국, 독일, 영국 등은 과학기술혁신 정책을 기반으로, 핵심 이슈를 발표하고, 중점 세부기술별 실행전략을 수립하고 있다. 한 예로 저출산으로 인한 노동 인구의 감소는 최근 AI 등의 연구로 노동 인력을 대체 방안으로 거론되는 것이다.

가트너Gartner.com는 매년 10대 전략 기술트렌드를 선정하여 발표하는데, 최근에 발표된 2019년 기술전략 10대 트렌드를 보면 4차 산업 혁명의 초기 상태에서 벗어나 보다 폭넓은 영향력과 활용 사례를 보이는 신기술과 급성장세를 자랑하며 지능Intelligent, 디지털Digital, 메시Mesh는 향후 5년 내 정점에 달할 것으로 예상되는 기술들이 이에 해당된다며, 2019년 에도 주요 성장 요인으로 꼽힐 것으로 전망했다.

또한 여러 트렌드들이 합쳐지면서 새로운 기회를 창출하고 새로운 혁신을 유도하는 종합적인 영향력이 생길 것을 예측하며, 2019년 10대 전략 기술 트렌드는 자율 사물 Autonomous Things, 증강 분석Augmented Analytics, 인공지능 주도 개발AI-Driven Development, 디지털 트윈Digital Twins, 자율권을 가진 에지Empowered Edge, 몰입 경험Immersive Experience, 블록체인Blockchain, 스마트 공간Smart Spaces, 디지털 윤리와 개인정보보호Digital Ethics and Privacy, 양자 컴퓨팅Quantum Computing 등을 꼽았다.

이는 2018년 10대 전략 기술 트렌드에서 디지털 세계를 비롯해, 물리적인 세계와 디지털 세계가 보다 밀접하게 연결되고 있는 상황에 초점을 맞추고 있고 지능형 디지털 메시를 구현하기 위해 필요한 플랫폼 및 서비스 메시에 중점을 두고 있는 기술에서 보다 발전 된 형태로 진화하여 "자동화된 사물의 형태인 인공지능과 증강 지능Augmented intelligence은 IoT, 에지 컴퓨팅, 디지털 트윈과 함께 이용되어 고도로 통합된 스마트 공간을 제공하고, 여러 트렌드들이 합쳐지면서 새로운 기회를 창출하고 새로운 혁신을 유도하는 종합적인 영향력을 가진다"며 기술 발전이 빠르게 변모하고 있음을 나타낸다.

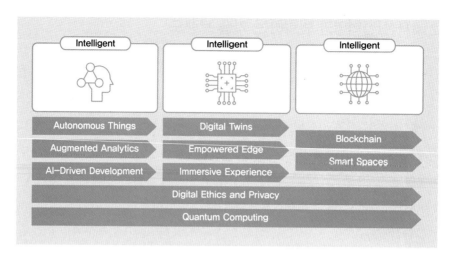

그림 1-28 가트너의 2019년 10대 전략 기술 트렌드

🖥 EXERCISES

1. 기억장치의 계층 구조를 설명하시오.

2. 시스템 소프트웨어와 응용 소프트웨어에 대하여 설명하시오.

3. 소프트웨어 중심사회에 대하여 설명하시오.

4. 소프트웨어 리터러시에 대하여 설명하시오.

5. 4차 산업 혁명에 대하여 설명하시오.

CHAPTER 2
컴퓨팅 사고

2.1 컴퓨팅 사고의 등장

1980, 1996년 미국 MIT 대학교 교수인 시무어 파퍼트Symour Papert가 처음 사용한 후 2006년 미국 마네기 멜런 대학교 교수인 지넷 윙Jeannette M. Wing교수가 ACM 저널에 기고한 "Computatinal Thinking" 이라는 글에서 자세히 논의한 후 21세기를 사는 모든 사람들이 갖추어야할 사고 능력으로 세계적으로 확산되었다. 이후 2011년 미국 ISTE(기술교육국제모임)과 CSTA(컴퓨터과학교사연합)의 Barr & Stephenson이 ACM 저널에 CT의 하위요소 9가지를 제시되었고 스크래치를 만든 MIT 미디어 랩, 영국의 BBC, 구글 등 다양한 기관과 학자들이 컴퓨팅 사고의 개념과 하위 요소를 논의하였다.

2.1.1 컴퓨팅 사고의 보편화

컴퓨팅 사고는 사고의 주체가 컴퓨터건 사람이건 간에 전산처리의 힘과 한계에 기반 해 있다. 인간이 컴퓨터보다 잘 하는 것이 무엇일까? 반대로 컴퓨터가 인간보다 잘 하는 것은 무엇일까? 그리고 궁극적으로는 계산 할 수 있는 대상에 한계가 있는가 묻고 있다.

현대 사회에서 컴퓨팅 사고는 컴퓨터 과학자 뿐 만이 아니라 누구나 갖춰야 하는 기본적인 역량이다. 읽기, 쓰기, 셈하기와 같이 아이들이 기본적으로 갖춰야하는 분석 역량 항목에 컴퓨팅 사고를 추가해야 한다. 인쇄술이 읽기, 쓰기, 셈하기의 능력을 확산 시켜 보편화 했듯이 컴퓨터는 오늘날 컴퓨팅 사고를 확산 시키고 있다.

2.1.2 일상에서의 컴퓨팅 사고

인간은 어려운 문제에 직면했을 때 문제를 해결하기 위해 고민을 할 것이다. 이러한 문제를 효율적으로 해결하기 위해 컴퓨터 과학자들은 이론적 근거에 기반하여 정확한 답을 구하려 할 것이다. 그리고 정확하지는 않지만 근사한 해결 방법도 괜찮은지를 고민할 것이다. 이러한 행동들은 컴퓨터 과학자의 문제에서 뿐만이 아니라 우리가 일상에서 쉽게 접할 수 있다.

몇 가지 예를 들어 일상생활에서 볼 수 있는 컴퓨터 과학자의 컴퓨팅사고를 보도록 하자.

(1) 캐싱Caching

당신의 아이가 학교를 갈 준비를 할 때 그 날 필요한 준비물들을 가방 안에 챙겨 넣을 것이다. 이처럼 곧 꺼내서 써야할 자료나 정보를 준비해 놓는 것을 컴퓨터 과학에서는 캐싱이라고 한다.

(2) 백트래킹Backtracking

당신의 아이가 하교 길에 집에 돌아오다가 물건을 잃어버렸다면 집에 오던 길을 되짚어 보라고 할 것이다. 이와 같이 문제 해결을 위해 과정을 되짚는 것을 백트래킹이라고 한다.

(3) 온라인 알고리즘

스키를 좋아하는 아이들이 커 갈 때 어느 시점에 스키 대여를 그만하고 스키를 구입하는 것이 이득일까? 이러한 비용에 대한 계산을 온라인 알고리즘이라고 한다.

(4) 멀티 서버 시스템의 성능 모델링

마트의 계산대 앞에 선 당신은 어느 줄에 서는 게 유리할까? 정해진 수의 계산대를 많은 사람들이 가장 효율적으로 통과하는 것을 고민하는 것. 이와 유사하게 방대한 데이터를 효율적으로 받고 보내는 방법을 고민한 결과 나온 기술이 멀티 서버 시스템의 성능 모델링 기술이다.

그렇다면 언제쯤 컴퓨팅 사고는 보편화된 개념이 될까? 그것은 컴퓨팅적 사고의 핵심은 프로그래밍이 아닌 개념화에 있다. 알고리즘이나 로직과 같은 컴퓨터 과학자들이 쓰는 용어가 일상적인 개념이 될 때 보편화가 될 것이다. 즉, 알고리즘을 예로 들어보면 알고리즘은 문제를 해결하는 방법을 의미한다.

예를 들어 라면을 끓여본 적이 한 번도 없는 한 아이가 있다고 보자. 하지만 이 아이는 라면을 끓여야 하는 상황이 된다면 어떻게 할 것인가? 문제를 해결하기 위해 여러 가지 방법과 수단을 사용하겠지만, 가장 단순하고 명쾌한 답은 라면 봉지에 있다. 라면 봉지에 쓰여 있는 조리법에 따라 라면을 조리 할 수 있다. 여기에서 제시된 라면의 조리법이 알고리즘이 된다. 이렇듯 알고리즘이라는 용어를 컴퓨터 과학자들이 쓰는 용어가 일상적인 개념이 될 때 보편화될 수 있는 것이다.

2.1.3 컴퓨팅 사고의 특징

컴퓨팅적 사고의 특징을 지넷 윙 교수는 다음과 같이 정의했다.

① 컴퓨팅 사고의 핵심은 프로그래밍이 아닌 개념화에 있다.

컴퓨터 공학은 컴퓨터 프로그래밍이 아니다. 컴퓨터 공학자와 같이 사고한다는 것은 컴퓨터 프로그래밍을 할 줄 아는 것. 그 이상이며 여러 단계의 추상화를 통해 사고하는 것이 컴퓨팅 사고다.

② 컴퓨팅 사고는 단순한 반복적인 기술이 아닌 모든 사람이 갖춰야 하는 핵심 역량이다.

단순 반복은 기계적인 반복을 뜻한다. 모순 같지만 컴퓨터 공학자들이 인공지능에 대한 궁극적인 과제인 인간처럼 사고하는 컴퓨터를 만들기 전까지 컴퓨팅적 사고는 기계적 사고에 머물 것이다.

③ 컴퓨팅적 사고는 컴퓨터가 아닌 인간의 사고 방법이다.

컴퓨팅적 사고는 인간이 문제를 해결하는 방법의 하나로 인간이 컴퓨터처럼 사고하는 것을 뜻하는 것이 아니다. 컴퓨터는 0과 1을 가지고 계산하는 단순히 계산속도가 빠른 기계인 반면 인간은 영리하며 상상력이 풍부하다. 따라서 인간은 컴퓨터라는 기계에게 인간의 영리함을 불어넣어 문제를 해결하고 있다.

④ 컴퓨팅적 사고는 수학적 사고와 공학적 사고를 보완하고 결합한다.

모든 과학 분야가 수학에 기초하고 있고 컴퓨터 공학도 마찬가지이다. 컴퓨팅 기기의 한계로 인해 수학적 사고와 컴퓨팅적 사고를 발휘할 수 밖에 없다. 반면에 자유롭게 가상현실을 만들 수 있기 때문에 그들은 물질로 이루어진 세상을 초월한 시스템을 구성 할 수 있기도 하다.

⑤ 컴퓨팅적 사고는 인공물이 아닌 아이디어이다.

우리가 만든 소프트웨어와 하드웨어만이 우리의 생활의 일부가 될 것은 아니다. 문제를 해결하기 위해 일상생활을 하기 위해 발전된 컴퓨팅적 개념 또한 우리 생활의 막대한 영향을 주고 있다.

⑥ 컴퓨팅적 사고는 모두를 위한 것이다.

컴퓨팅적 사고는 인간 활동에 필수 요소가 되어 더 이상 특수한 철학으로 존재하지 않을 때 자연스러운 생활의 일부가 될 것이다.

2.2 컴퓨팅 사고의 이해

소프트웨어 시대에 필요한 창의적 교육에 대한 요구가 커지면서 컴퓨팅적 사고 개념이 등장했다. 컴퓨팅적 사고는 미국 카네기멜론대학교 지넷 윙 교수가 제안한 것으로, 컴퓨터에 대한 단순한 지식 중심의 교육이 아니라 컴퓨팅에 대한 이해를 통해 창의적인 문제 해결 방법을 모색하는 것을 말한다.

2.3 지넷 윙 교수의 컴퓨팅 사고의 5가지 요소

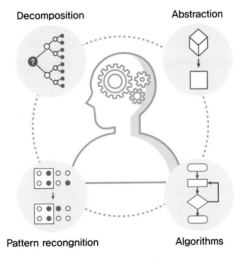

그림 2-1 지넷 윙의 컴퓨팅사고의 요소

2.3.1 재귀적 사고

문제 해결의 방법을 찾은 후, 동일한 방법을 완전히 성공할 때까지 계속 반복 적용할 수 있는 사고

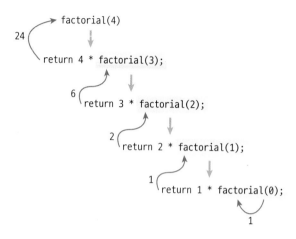

그림 2-2 재귀법을 이용한 4!(4의 계승) 구하기

2.3.2 개념화

단순히 소스 코드를 프로그래밍하는 것이 아니라, 분석, 설계, 코딩 등의 여러 단계에서 추상화 시각으로 접근 할 수 있는 사고

2.3.3 병렬처리

대역폭이 넓게 통합적인 시각에서 문제를 병행적으로 파악하고 처리할 수 있는 사고

2.3.4 추상화

복잡한 문제의 공통적인 부분을 인식한 뒤 통합하여 파악할 수 있는 사고

2.3.5 분해

어려운 문제를 작게 쪼개고 분할하여 해결할 수 있는 사고

2.4 컴퓨팅 사고의 증진에 필요한 핵심 요소 6가지 능력

2.4.1 추상화

복잡한 문제나 아이디어를 단순화하여 필요하지 않은 특징이나 세부적인 사항을 없애고 핵심적인 요소만을 남겨서 일반화된 모델을 만드는 능력

> 예 강아지를 그릴 때 강아지의 특징만을 추출해서 그림을 그린다.(다리4개, 동그랗고 처진 눈, 촉촉한 코, 긴 주둥이 등)

2.4.2 패턴 인식

다양한 정보 속에서 일정한 경향, 반복되는 규칙, 공통적 속성 등을 탐색하여 찾는 능력

> 예 신호등의 점멸 순서, 도형에서 사각형의 개수 $1 \rightarrow 4 \rightarrow 9 \rightarrow ?$

2.4.3 분해

특정한 문제를 다양한 시각으로 쪼개어 문제의 이해 및 해결을 좀 더 쉽게 하는 능력

> 예 복잡한 수식을 괄호로 묶어서 작은 단위로 분해 후 계산한다. $(3 \times 4 / 6 + 2 \times 3 \rightarrow ((3 \times 4) / 6) + (2 \times 3))$

2.4.4 알고리즘

특정 문제를 해결하기 위해 추상화된 핵심 원리를 단계적이고 반복적인 절차로 나타내는 능력

> 예 라면 조리

2.4.5 자동화

반복적인 일을 컴퓨터를 이용하여 컴퓨터가 이해할 수 있는 형태로 표현하여 문제 해결 과정 및 결과신속하게 처리하는 능력

> 예 10*10을 구할때 10을 10번 계속 더해준다.

2.4.6 병렬화 Parallel Processing

문제를 여러 관점에서 병행적으로 파악하여 처리하는 능력

2.5 컴퓨팅 사고와 인간의 표현

2.5.1 코딩

코딩이란, 인간이 문제에 부딪혔을 때 문제를 해결하기 위한 방법으로 알고리즘을 선정한 후 프로그래밍 언어로 변환하는 작업만을 말한다.

즉, 스크래치나 파이썬과 같은 프로그래밍언어를 이용해 프로그램을 만드는 것을 의미한다.

코딩은 교육을 통해 논리적, 창의적 문제해결능력을 키울 수 있으며, 퍼즐이나 블록 맞추기 등을 통해서 컴퓨터 프로그래밍 원리를 배울 수 있다.

그림 2-3 코딩

코딩의 중요성은 사물인터넷, 빅데이터 분석, 인공지능, 지능형 로봇 등 4차 산업 혁명 시대에 맞아 모든 것이 정보통신기술을 바탕으로 소프트웨어가 구현되기 때문에 세계 각국에서도 코딩 중심의 교육이 활발히 이루어지고 있다.

현재 우리나라에서도 2018년부터 코딩과 컴퓨팅 사고 교육이 시작되고 있으며, 교육용 프로그래밍 언어인 스크래치나 일반 프로그래밍 언어인 파이썬 등을 통해 실습이 이루어지고 있다.

(1) 스크래치

- 미국 메사추세스공과대학MIT에서 8~16사이 어린이가 쉽게 사용할 수 있는 초보자용 프로그래밍 언어로 개발
- 이용자가 창의적으로 생각하고 체계적으로 판단할 수 있게 구성
- 명령단위 블록으로 구성하여 블록 조각을 조립하는 형태의 프로그래밍 언어
- 9개의 코드 블록그룹으로 각 동작, 형태, 소리, 이벤트, 제어, 감지, 연산, 변수, 나만의 블록으로 구성
- https://scratch.mit.edu/

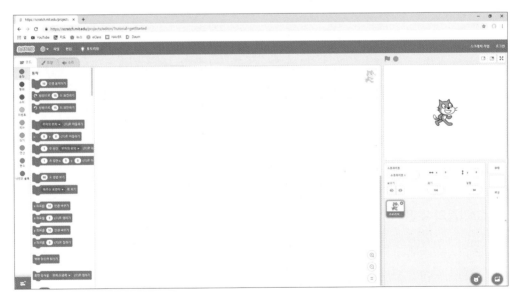

그림 2-4 스크래치 화면 구성

(2) 파이썬

- 네덜란드 개발자 귀도 반 로섬Guido van Rossum이 만든 언어
- 간결한 문법으로 입문자가 이해하기 쉽고, 인간의 사고체계와 유사
- 누구든지 무료로 사용할 수 있도록 대중에 완전 공개

- 웹 개발뿐만 아니라 데이터 분석, 머신러닝, 그래픽, 학술 연구 등 여러 분야에서 활용
- https://www.python.org/

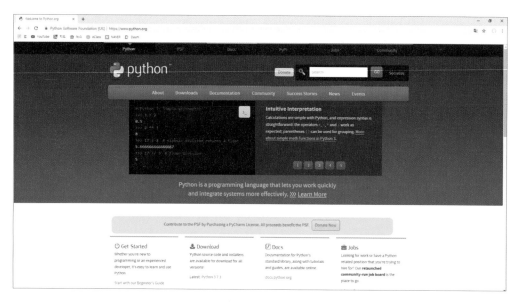

그림 2-5 파이썬 공식 홈페이지

2.5.2 코딩의 표현

(1) 알고리즘

문제 해결을 위한 방법이나 절차를 알고리즘이라고 한다.

■ **알고리즘의 조건**

- **입력** : 외부에서 자료를 입력 받을 수 있어야 한다.
- **출력** : 최소한 한 가지 이상의 결과가 나와야 한다.
- **명확성** : 각각의 명령들은 무엇을 하는 것인지 명확하게 존재해야 한다.
- **효과성** : 사용되는 모든 명령들은 실행 가능해야 한다.
- **유한성** : 사용되는 모든 명령들을 거쳐 반드시 종료해야 한다.

(2) 자연어

알고리즘을 표현하기 위한 방법의 한가지로서 일상 생활에서 사용하는 말과 글로 표현된 것이다.

이해가 빠른 반면 내용이 길어질 수 있는 단점이 있다.

(3) 의사코드

프로그래밍 언어 문법이 아닌 일반적인 언어로 프로그래밍 코드 형태로 자연어를 혼용하여 간략하게 표현한 방법이다.

약간의 프로그래밍 지식으로 이해가 가능하지만 명확성은 떨어진다.

(4) 순서도

정해진 도식화된 기호를 이용하여 알고리즘을 표현하는 방법이다.

직관적으로 판단할 수 있는 장점으로 글보다 쉽게 이해되지만, 도식화된 기호를 알아야 한다.

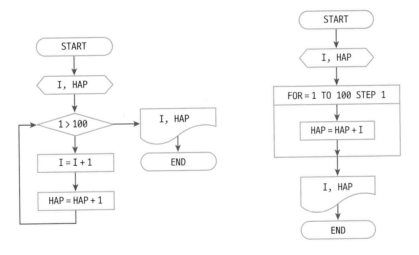

그림 2-6 1부터10까지 합을 구하는 순서도 예

■ 순서도의 도식화된 기호

기호	명칭	사용 용도	기호	명칭	사용 용도
	처리	각종 연산, 데이터 이동 등의 처리		터미널	순서도의 시작과 끝 표시
	연결자	흐름이 다른 곳과 연결되는 입출구를 나타냄		천공카드	천공카드의 입출력
	입출력	데이터의 입력과 출력		서류	서류를 매체로 하는 입출력 표시
	흐름선	처리의 흐름과 기호를 연결하는 기능		수동입력	콘솔에 의한 입력
	준비	기억장소, 초기값 등 작업의 준비 과정 나타냄	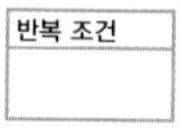 반복 조건	반복	조건을 만족하면 반복
	미리 정의된 처리	미리 정의된 처리로 옮길 때 사용		디스플레이	결과를 모니터로 나타냄

그림 2-7 순서도 도식화된 기호

■ 순서도의 3가지 방식

• **순차구조** : 시작부터 종료까지 순서대로 처리하는 구조

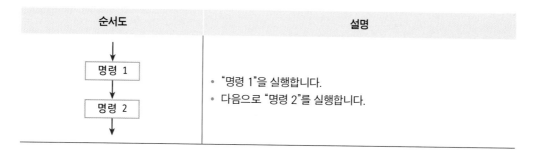

순서도	설명
명령 1 → 명령 2	• "명령 1"을 실행합니다. • 다음으로 "명령 2"를 실행합니다.

그림 2-8 순차구조의 순서도

• **선택구조** : 주어진 조건에 따라 처리하는 순서나 내용이 분기되는 구조

순서도	설명

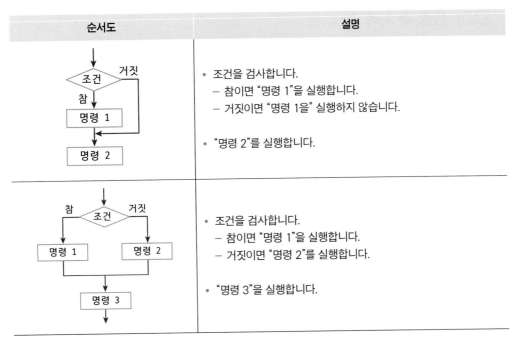	• 조건을 검사합니다.
	  – 참이면 "명령 1"을 실행합니다.
	  – 거짓이면 "명령 1을" 실행하지 않습니다.
	
	• "명령 2"를 실행합니다.

	• 조건을 검사합니다.
	  – 참이면 "명령 1"을 실행합니다.
	  – 거짓이면 "명령 2"를 실행합니다.
	
	• "명령 3"을 실행합니다.

그림 2-9 선택구조의 순서도

• **반복구조** : 주어진 조건이 만족할 때 까지 반복해서 처리하는 구조

순서도	설명

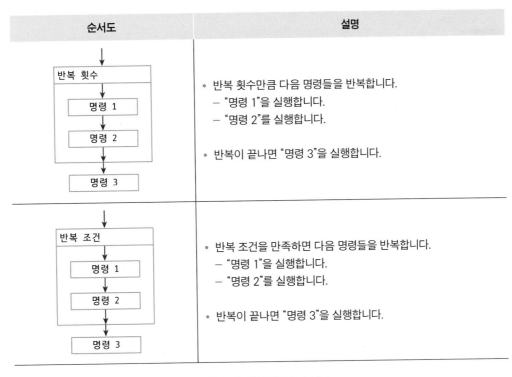	• 반복 횟수만큼 다음 명령들을 반복합니다.
	  – "명령 1"을 실행합니다.
	  – "명령 2"를 실행합니다.
	
	• 반복이 끝나면 "명령 3"을 실행합니다.

	• 반복 조건을 만족하면 다음 명령들을 반복합니다.
	  – "명령 1"을 실행합니다.
	  – "명령 2"를 실행합니다.
	
	• 반복이 끝나면 "명령 3"을 실행합니다.

그림 2-10 반복구조의 순서도

2.5.3 생활 속 사례

라면을 한 번도 끓여 본 적이 없는 아이가 라면을 조리 하기 위한 방법을 표현해 보자. 우선 알고리즘을 찾아내자.

아이는 라면을 조리하기 위해 라면 봉지 뒷면에 쓰여 있는 조리법을 발견했다.

(1) 알고리즘

1. 물 550cc(3컵 정도)를 끓인다.
2. 면과 분말, 건더기스프를 같이 넣는다.
3. 4~5분 더 끓인다.
4. 그릇에 담아 맛있게 먹는다.

그림 2-11 라면조리 알고리즘

(2) 알고리즘의 표현

물 550cc(3컵 정도)를 끓이다가 면과 분말, 건더기스프를 같이 넣은 후 4~5분 더 끓이다가 다 끓으면 그릇에 담아 맛있게 먹는다.

그림 2-12 라면조리 자연어

```
do
물 550cc(3컵정도)를 끓인다.
if (면과 스프를 넣고 4~5분 지났나?)
break;
 while( 물 != 끓는다 )
```

그림 2-13 라면조리 의사코드

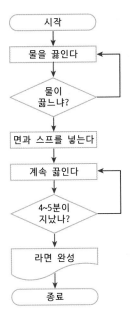

그림 2-14 라면조리 순서도

이러한 일련의 과정들을 컴퓨터 프로그래밍 관점에서 본다면 라면조리는 프로그램, 라면을 조리 하기 위한 아이는 프로그래머가 되는 것이고, 라면봉지에 쓰여 있는 조리법은 알고리즘이 되는 것이다.

즉, 프로그래머인 아이는 라면조리라는 프로그램을 만들기 위해, 라면 조리법인 알고리즘을 활용해서 조리 순서에 맞춰 라면을 조리하는 행위들을 프로그래밍 한다고 표현할 수 있다.

위의 사항을 컴퓨터와 인간의 관점에서 정리하면 다음과 같다.

표 2-1 라면 조리를 위한 컴퓨터와 인간의 관점

컴퓨터 관점	인간 관점
프로그램	라면조리
프로그래머	아이
알고리즘	라면조리법
로직	라면 조리 순서
프로그래밍	라면 조리를 위한 행위
결과	라면 완성

EXERCISES

1. 컴퓨팅 사고의 특징을 설명하시오.

2. 지넷 윙 교수의 컴퓨팅 사고 5가지를 설명하시오.

3. 알고리즘에 대하여 설명하시오.

4. 순차구조란 무엇이며, 종류에 대하여 각각 설명하시오.

5. 반복구조란 무엇이며, 종류에 대하여 각각 설명하시오.

CHAPTER 3

소프트웨어 분류와 개발자

3.1 소프트웨어 분류

3.1.1 기업용 소프트웨어

기업용 SW 분야는 산업특성과 보는 관점에 따라 다양하게 나눌 수가 있겠으나, 이번 분류에서는 모든 산업의 기업들이 공통적으로 사용하는 SW 제품들을 중심으로 분류하였음. 기업용 SW는 크게 문서도구, 협업응용, 자원관리 제품군으로 분류하였고, 오피스 등의 문서저작 및 문서 변환 SW는 문서도구 제품군에 속하고, 그룹웨어(화상통화 포함), KMS(EDMS 포함), 기업용 SNS 등은 경영협업 제품군에 속하며, 자원관리 제품군은 ERP^{Enterprise Resources Planning}, SCM^{Supply Chain management}, CRM^{Customer Relationship Management}, BI^{Business Intelligence}, MES^{Manufacturing Execution System} 등을 포함한다.

그림 3-1 기업용 소프트웨어 예시

3.1.2 임베디드 소프트웨어

임베디드 시스템^{Embedded System}(내장형 시스템)은 기계나 기타 제어가 필요한 시스템에 대해, 제어를 위한 특정 기능을 수행하는 컴퓨터 시스템으로 장치 내에 존재하는 전자 시스템이다. 즉, 임베디드 시스템은 전체 장치의 일부분으로 구성되며 제어가 필요한 시스템을 위한 두뇌 역할을 하는 특정 목적의 컴퓨터 시스템이다.

그림 3-2 임베디드 소프트웨어 예시

3.1.3 시스템 소프트웨어

시스템 소프트웨어System Software는 응용 소프트웨어를 실행하기 위한 플랫폼을 제공하고 컴퓨터 하드웨어를 동작, 접근할 수 있도록 설계된 컴퓨터 소프트웨어이다. 컴퓨터 시스템의 운영을 위한 모든 컴퓨터 소프트웨어에 대한 일반 용어이다.

그림 3-3 시스템 소프트웨어 예시

3.1.4 게임용 소프트웨어

게임 소프트웨어라 불리는 것은 콘솔 게임기(가정용 거치형 게임기)에서 재생하는 프로그램 본체와 그 데이터, 또 그 데이터를 수납하기 위한 하드웨어(물리적 매체, 미디어, CD

나 게임팩) 자체이나, 흔히 이에 사용 설명서나 패키지(상자 등)를 더한 형태의 풀 패키지를 게임 소프트웨어라 한다. 최근 들어 온라인 소프트웨어 등, 물리적인 매체를 포함하지 않는 판매 형태도 있어 소비자 수준에서는 단순히 '게임이라는 놀잇감을 제공해 주는 소프트웨어'라는 인식 수준을 가지고 있다.

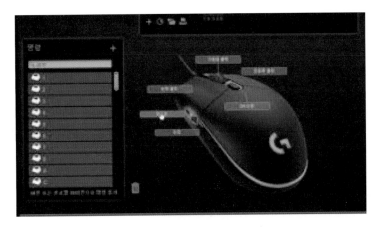

그림 3-4 게임용 소프트웨어 예시

3.1.5 데이터베이스 소프트웨어

데이터베이스 관리 시스템DBMS : DataBase Management System은 다수의 사용자들이 데이터베이스 내의 데이터를 접근할 수 있도록 해주는 소프트웨어 도구의 집합이다. DBMS은 사용자 또는 다른 프로그램의 요구를 처리하고 적절히 응답하여 데이터를 사용할 수 있도록 해준다.

그림 3-5 데이터베이스 소프트웨어 예시

3.1.6 GIS Geograhoic Infomation Systems **소프트웨어**

GIS는 지리적 위치를 갖고 있는 대상에 대한 위치자료 Spatial Data 와 속성자료 Attribute Data 를 통합·관리하여 지도, 도표 및 그림들과 같은 여러 형태의 정보를 제공한다. 즉 GIS란 넓은 의미에서 인간의 의사결정능력 지원에 필요한 지리정보의 관측과 수집에서부터 보존과 분석, 출력에 이르기까지의 일련의 조작을 위한 정보시스템을 의미한다.

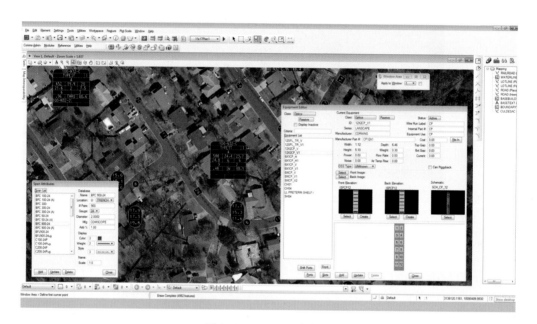

그림 3-6 GIS 소프트웨어 예시

3.1.7 서비스형 소프트웨어

서비스형 소프트웨어, 즉 SaaS Software as a Service 는 클라우드를 통해서 제공되는 소프트웨어이다. 별도의 설치나 전환하는 과정이 없이 퍼블릭 클라우드에 설치되어 있는 소프트웨어를 인터넷을 통해서 제공받는다. 기존에는 하드웨어에 소프트웨어를 설치하여서 이용하였다면, SaaS는 인터넷에 접속하여 퍼블릭 클라우드에 설치되어 있는 소프트웨어를 불러오는 방식이다. 기존의 설치형 소프트웨어는 사용자 환경에 맞춰서 설치를 하기 때문에 설치와 유지보수가 어렵고 초기비용이 비싸다. 하지만 SaaS는 이러한 단점을 해결하였다. 인터넷에 접속하여 이용할 수 있기 때문에 설치가 간편하고, 유지보수가 쉽고 업데이트도 빠르게 제공된다. 하지만 데이터를 처리하고 보관하는 것이 외부 클라우드 서비스에서 이루어지기 때문에 외부에 데이터가 노출되는 것을 원치 않는 기업에서는 이 점이 불안 요소일 수 있다. 또한 통신 환경이 열악한 곳에서 이용하기 어렵다는 단점이 있다.

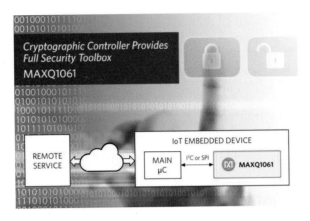

그림 3-7 서비스형 소프트웨어 예시

3.1.8 보안용 소프트웨어

보안 소프트웨어 또는 시큐리티 소프트웨어Security Software는 컴퓨터 시스템이나 컴퓨터 네트워크를 보안할 목적을 지닌 컴퓨터 프로그램이나 라이브러리를 가리키는 용어이다. 보안 소프트웨어의 종류는 다음과 같다.

- 바이러스 검사 소프트웨어
- 암호화 소프트웨어
- 방화벽
- 침입 탐지 시스템 (IDSIntrusion Detcetion System)
- 스파이웨어 제거 프로그램
- 운영 체제에 포함된 보안 기능

그림 3-8 보안용 소프트웨어 예시

표 3-1 소프트웨어 분류

분류	종류	분류	종류
유틸리티 소프트웨어	압축/유틸리티 기타 원격제어 /메신저 리포팅/언어 번역 데이터영구삭제 데이터백업/복구 화상회의/문서회의 FTP/PDF변환 형상관리/이미지뷰어 가상CD드라이브 메타데이터 관리 웹브라우저	기업용 소프트웨어	그룹웨어(Groupware) 비즈니스관리(BPM) 전사적자원관리(ERP) 고객관계관리(CRM) 공급망관리(SCM) 기업포털(EIP) 경영정보관리(MIS) 인적자원관리(HR) 프로젝트관리(PMS) 회계관리 고객상담지원 자동차운전학원관리 지식관리(KMS)
교육용 소프트웨어	온라인교수학습 교육용 기타 교수학습지원 오프라인교수학습	디지털콘텐츠 소프트웨어	웹페이지제작 멀티미디어제작 디지털콘텐츠관리(CMS) 디지털콘텐츠 기타 전자출판 그래픽편집 CAD/CAM 디지털음성처리

분류	종류	분류	종류
데이터베이스 소프트웨어	DBMS 데이터베이스 기타 DB리포팅/DB관리	프로그램개발 관련 소프트웨어	프로그램개발지원 시험도구/모델링도구 소스코드분석
임베디드 소프트웨어	RFID Zigbee 공정제어 임베디드 기타 방송장비용 임베디드용 교통및주차관리 의료장비용	시스템관리 소프트웨어	시스템 관리 (SMS) 네트워크 관리 (NMS) 스토리지 관리 성능 측정 및 관리 패치 관리 (PMS) 시스템관리 기타 PC 관리 홈네트워크 텔레매틱스 감시장비제어 통합 관리 (EMS)
미들웨어 소프트웨어	WAS 검색엔진 미들웨어 기타 전사적애플리케이션 통합(EAI) 이동단말기	바이오매트릭스 소프트웨어	지문 인식 음성 인식 바이오매트릭스 기타 얼굴 인식 홍체 인식
사무용 소프트웨어	프리젠테이션 워드프로세서 사무용 기타 오피스/문서 뷰어 스프레드쉬트	운영체제 소프트웨어	윈도우즈 운영체제 유닉스 운영체제 운영체제 기타 임베디드 운영체제 리눅스 운영체제
웹서비스용 소프트웨어	웹메일 웹하드 웹서비스용 기타 웹서버 단문자발송(SMS) 웹포털	게임용 소프트웨어	모바일 게임 온라인 게임 게임용 기타 비디오 게임 PC패키지 게임 아케이드 게임
GIS 소프트웨어	상하수도시설물관리 GIS기타 도로 및 상하수도시설물관리 도로시설물관리	보안용 소프트웨어	PC보안/DB보안 서버보안/웹보안 키보드보안 침입차단(방화벽) 스팸및악성코드 차단 바이러스백신 인증관리(PKI,SSO) 디지털콘텐츠보안 통합보안관리(ESM) 침입탐지(IDS)

3.2 개발자의 유형

컴퓨터 프로그램의 논리나 알고리즘을 설계하고 프로그램을 작성하고 테스트하는 사람입니다. 시스템 분석자Systems Analyst가 설계한 내용을 알고리즘을 통해 프로그램을 구현하는 사람으로서, 시스템 분석자·데이터베이스 관리자DBA : DataBase Administrator 등과 함께한 팀이 되어 과업을 수행하는 경우가 많다.

프로그래머로서 일을 하기 위해서는 적어도 컴퓨터에 대한 충분한 지식이 필요하며, 프로그램 언어·오퍼레이팅 시스템의 명령·파일링 시스템의 운용법·화면설정·기타 작업도구 사용법 등을 숙지해야 한다.

최근에는 컴퓨터 기종과 기능의 확대에 따라 시스템·네트워크 등의 다방면에 걸친 응용이 보급되어 프로그래머에게 요구되는 지식도 광범위해져 가고 있다. 프로그래머가 되기 위해서는 세심한 주의력을 가질 것, 실수가 적을 것, 깊은 추리력이 있을 것 등이 기본적 소질로 요구된다.

다음은 프로그래머의 종류에 대해서 알아본다.

3.2.1 게임 프로그래머

게임구조를 설계하고, 오류를 찾아내어 게임프로그램을 완성하는 역할을 하며, 게임기획자, 게임그래픽디자이너, 게임음악가 등으로부터 넘겨 받을 자료를 어떻게 프로그램화할 것인지 설계 작업을 하기도 하고, 게임을 제작하기 위한 툴인 게임 엔진을 개발하고, 영상을 컴퓨터 모니터에 출력하는데 필요한 제반 함수들의 집단인 그래픽 라이브러리를 제작한다. 그래픽 특수 효과를 제작하고, 키보드·마우스 등의 입력 장치 제어 루틴을 제작하고, 그래픽 파일이나 사운드 파일이 정상적으로 게임 속에서 작동될 수 있도록 해 주는 프로그램을 작성하고, 게임을 테스트하여 에러를 수정하고 버그를 찾아낸다.

3.2.2 응용 프로그래머

컴퓨터 내의 응용, 연산 그리고 실행이 가능한 프로그램(윈도우, 워드, 한글 등의 응용 프로그램)제작과 관리를 하는 역할을 한다. 호스트 프로그래밍 언어와 데이터 베이스 언어를 사용해서 작성된 프로그램을 통해 데이터에 접근하는 사람으로 유통회사에서 사용하는

공급관리시스템SCM, 기업 운영을 효율적으로 처리하기 위한 전사적자원관리ERP, 고객관계
관리CRM, 항공권 발급 및 열차표 발행 예매 프로그램 등도 하나의 사례이다.

3.2.3 웹 프로그래머

인터넷 상 웹페이지부터 스마트폰·어플리케이션의 프로그램을 담당한다. 웹 상에서 각
종 자료들을 보여줄 수 있도록 웹 프로그래밍 언어를 이용하여 프로그램을 설계하고 작성
하는데 프로그래밍 언어를 이용하여 프로그램을 코딩한다. 웹상에서 테스트한 후 문제점
을 확인하고 수정 및 기존에 개발된 프로그램을 유지 및 보수하고, 웹디자이너와 업무를
협의하는 역할을 한다.

3.2.4 시스템 프로그래머

응용 프로그램들을 총괄·관리하는 역할을 하며, 컴퓨터 시스템이 운영체제와 같이 작
동될 수 있도록 하고 언어의 처리, 컴파일러 및 자료 파일의 관리 프로그램 등에 필요한 프
로그램을 작성하기도 하며, 보통 어셈블리 언어를 작성되는 시스템 프로그램을 만들기 위
해서는 사용할 컴퓨터 시스템에 대해 상당한 지식을 갖춰야 한다.

3.2.5 임베디드 프로그래머

컴퓨터와 기계들의 프로그램을 담당하며, 내장형 시스템을 연구하고 개발, 설계하는 역
할을 하며, 하드웨어 도면을 보고 이해할 수 있어야 하고, C언어 뿐만 아니라 어셈플리 언
어를 사용할 수 있어야 한다. 컴퓨터 이외의 장비에 사용되는 칩을 임베디드라고 하는데,
자동차, 에어컨, 냉장고, 공장 자동화 장비에 이르기까지 매우 다양한 제품에 사용된다.
컴퓨터에 한정되던 소프트웨어가 전자, 통신기기 등으로 확대되는 만큼 향후 임베디드 개
발자에 대한 수요가 더욱 늘어날 것으로 예측된다.

3.2.6 보안 프로그래머

정보관리의 핵심인 보안 분야의 솔루션·백신 제작을 담당하는 역할을 하며, 컴퓨터 바

이러스 발생이나 해커의 침입에 대비해 방화벽을 구축하고 바이러스에 감염됐을 때 감염 경로나 원인을 찾아 문제를 해결하는 등의 일을 하기도 한다.

Sep 2019	Sep 2018	Change	Programming Language	Ratings	Change
1	1		Java	16.661%	-0.78%
2	2		C	15.205%	-0.24%
3	3		Python	9.874%	+2.22%
4	4		C++	5.635%	-1.76%
5	6	∧	C#	3.399%	+0.10%
6	5	∨	Visual Basic .NET	3.291%	-2.02%
7	8	∧	JavaScript	2.128%	-0.00%
8	9	∧	SQL	1.944%	-0.12%
9	7	∨	PHP	1.863%	-0.91%
10	10		Objective-C	1.840%	+0.33%
11	34	⌃⌃	Groovy	1.502%	+1.20%
12	14	∧	Assembly language	1.378%	+0.15%
13	11	∨	Delphi/Object Pascal	1.335%	+0.04%
14	16	∧	Go	1.220%	+0.14%
15	12	∨	Ruby	1.211%	-0.08%
16	15	∨	Swift	1.100%	-0.12%
17	20	∧	Visual Basic	1.084%	+0.40%
18	13	⌄⌄	MATLAB	1.062%	-0.21%
19	18	∨	R	1.049%	+0.03%
20	17	∨	Perl	1.049%	-0.02%

그림 3-9 2019 프로그램언어 순위

EXERCISES

1. 임베디드 소프트웨어에 대하여 설명하시오.

2. DBMS에 대하여 설명하시오.

3. GIS에 대하여 설명하시오.

4. SaaS에 대하여 설명하시오.

5. 개발자 유형에 대하여 설명하시오.

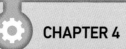

CHAPTER 4
소프트웨어 개발

소프트웨어의 개발이란, 사용자나 시장의 수요 요구에 따라 소프트웨어 제품을 제작하는 것을 의미한다. 따라서 소프트웨어는 하드웨어와의 차이점을 가지고 있다.

첫째, 소프트웨어는 하드웨어에 비해서 수정하기 비교적 쉽다.

프로그램을 작성하면서 생기는 오류들을 수정 할 수도 있으며, 마지막 테스트단계에서도 오류 수정이 쉽기 때문에, 하드웨어처럼 제품이 양산된 후에 발생되는 문제점들을 수정, 보완하는 것보다는 훨씬 쉽게 작업할 수 있다.

둘째, 소프트웨어는 오래 사용 할 수 있지만, 하드웨어보다 더 많은 유지 보수 비용이 필요하다.

하드웨어의 경우 제품이 가지고 있는 사용기한에 따라 유지 보수 기한이 적용되지만, 소프트웨어는 사용기한이 따로 정해져 있는 것이 아니기 때문에 유리보수기한이 하드웨어보다 길다. 따라서 소프트웨어와 같은 경우 제품의 결과물을 인수인도 전에 유지 보수 기간을 정해야 한다.

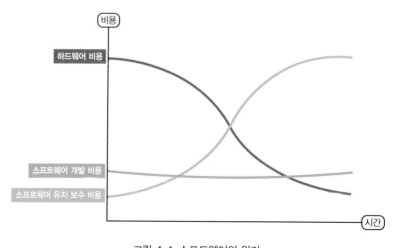

그림 4-1 소프트웨어의 위기

셋째, 소프트웨어는 결과물이 만들어지기 전까지는 가시적으로 확인하기가 어렵기 때문에 개발 참여인원의 유동성과 개발비용의 문제로 인하여 일정이 더 지연되는 경우가 있다.

넷째, 소프트웨어는 요구 사항을 정의하기가 어렵기 때문에 사용자가 요구하는 사항을 명확하게 파악해야 한다. 사용자와 개발자간의 의사소통이 안되면 요구사항에 대한 반영이 어려워져, 원래 목표와는 전혀 다른 결과물 양산을 초래할 수 있다.

따라서, 소프트웨어가 가지는 특징을 보면 소프트웨어의 가장 주요한 핵심은 소프트웨어를 개발하는 인재가 가장 중요하다고 볼 수 있다. 개발자의 톡톡 튀는 상상력과 아이디어를 반영한 소프트웨어는 시장에서 차별성과 경쟁력을 갖게 되며, 원가 결정에도 영향을 주게 된다. 완성도가 높은 소프트웨어는 낮은 또한, 소프트웨어는 '재사용'을 할 수 있기 때문에 그만큼 부가가치가 높은 산업이다.

4.1 소프트웨어 공학

소프트웨어공학Software Engineering은 소프트웨어를 분석, 설계, 개발, 운영, 유지보수 등 개발수명주기 전반에 걸친 계획 · 개발 · 검사 · 보수 · 관리, 방법론 등을 연구하는 분야로 공학적 원리를 바탕으로 소프트웨어를 개발하는 학문이다.

이러한 소프트웨어 공학은 컴퓨터의 시대별 발전 상황과 같이 발전하였다. 1960년대와 같이 하드웨어의 급속한 발전이 있던 시대에서는 소프트웨어의 개발과 생산 활동이 매우 저조하여 소프트웨어의 공급과 수요의 격차가 매우 심했다. 그러나 사용자 요구사항에 따른 소프트웨어의 구축은 증가하게 되었고, 하드웨어 기술이 발전함에 따라 비용이 하락하는 반면 소프트웨어 개발 인건비는 차츰 상승하게 되었다. 1960년대 이후 컴퓨터의 보급이 증가함에 따라 고가의 하드웨어를 도입과 더불어 소프트웨어에 대한 인식도 변화하기 시작했다.

즉, 컴퓨터를 효율적으로 활용하기 위해서는 컴퓨터에서 필요로 하는 관련 소프트웨어를 개발하여야 한다는 인식이 증가하기 시작한 것이다. 이러한 요구들은 소프트웨어 공학을 발전시킬 수 있었으며, 1970년대에는 순차적으로 프로그램을 구현하는 방식인 구조적 프로그래밍Structured programming과 설계 방법론Design Methodology, 그리고 분석방법론Analysis Methodology이 활발히 연구 되었다. 1980년대에 들어오면서 자동화도구 및 객체지향Object-oriented설계 및 프로그래밍을 이용해 실제 세계를 모델링하여 소프트웨어를 개발하는 방법과 컴퓨터 응용 소프트웨어 공학으로 발전 되었다. 이 후 1990년대에 객체지향 소프트웨어 공학에서 본격적인 객체지향 프로그래밍언어와 분석 및 설계를 통해 소프트웨어 재사용 시스템이 발전하게 되었다. 2000년대에는 하드웨어나 소프트웨어가 다른 하드웨어나 소프트웨어의 일부로 내재되어 있는 임베디드Embedded 및 컴포넌트Component를 이용해 기존의 코딩 방식에 의한 개발에서 벗어나 소프트웨어 구성단위인 모듈Module을 미리 만든 뒤 블록을 쌓아가 듯 필요한 응용 기술을 개발할 때 이 모듈을 조립하는 기술을 소프트웨어 공학으로 연구 범위가 확대 되었고, 전자제품이나 전자기기에 적용되는 소프트웨어 개발이 가속화 되었다.

4.2 소프트웨어 생명주기

소프트웨어 생명 주기Software Life Cycle는 소프트웨어 개발 방법론의 바탕이 되는 것으로 소프트웨어를 개발하기 위해 정의하고 운용, 유지보수 등의 과정을 각 단계별로 나눈 것이다. 소프트웨어 생명 주기는 소프트웨어 개발 단계와 각 단계별 주요 활동, 활동의 결과에 대한 산출물로 표현하며, 소프트웨어 수명 주기라고도 한다.

소프트웨어 생명 주기는 모형에 따라 단계가 달라지지만 일반적으로 정의 단계, 개발 단계, 유지보수 단계로 나눌 수 있다.

4.2.1 소프트웨어 생명주기 단계 분류

(1) 정의 단계

소프트웨어를 '무엇(What)'을 개발할 것인지 정의하는 단계로 관리자와 사용자가 가장 많이 참여한다.

따라서 다음과 같이 세 가지 단계로 구분할 수 있다.

- **타당성 검토 단계** : 개발할 소프트웨어가 법적, 경제적, 기술적으로 실현 가능성이 있는가를 조사하는 단계
- **개발 계획 단계** : 소프트웨어 개발에 사용 될 자원과 비용을 산정하는 단계
- **요구사항 분석 단계** : 사용자의 요구를 상세하고 정확히 분석하는 단계

(2) 개발 단계

실제적으로 소프트웨어를 '어떻게(How)' 개발할 것인가 표현하는 단계이다.

앞서 본것과 마찬가지로 개발단계를 다음과 같이 세 가지 단계로 구분할 수 있다.

- **설계 단계** : 소프트웨어의 구조, 알고리즘, 자료구조 등을 작성하는 단계
- **구현 단계** : 설계 단계에서 도출된 사항을 적용하여 코딩하는 단계
- **테스트 단계** : 구현단계에서 발생되는 문제점들을 수정 보완 하는 단계

(3) 유지보수 단계

소프트웨어를 직접 운용하며, 여러 환경 변화에 따라 소프트웨어를 적응 및 유지시키는 단계로 소프트웨어 생명 주기 단계 중에서 시간과 비용이 가장 많이 발생한다.

4.2.2 소프트웨어 생명주기 단계별 정의

(1) 계획

소프트웨어 개발 단계에서 가장 먼저 해야 할 일은 계획을 세우는 것으로 계획 단계에서 할 일 중 하나는 프로젝트를 수행할 때 어떤 위험이 존재하는지 파악하고 이를 예방할 수 있는 조치를 취하는 것이다.

(2) 요구 분석

사용자의 요구에 대해서 이해하는 개발의 실질적인 첫 단계로 전체 개발 과정에서 개발 비용을 감소시킬 수 있는 결정적 단계이다.

요구분석 단계는 개발하고자 하는 시스템이 기존에 가지고 있는 시스템의 문제점을 파악하고, 새로운 요구 사항을 도출하여 수집하는 단계로써 요구 사항에 대한 내용을 최적화된 상태로 정리하여 특정 표현 도구를 개발 방법론에 따라 알맞게 적용한다.

즉, 구조적 방법론에서는 자료흐름도DFD : Data Flow Diagram, 자료 사전DD : Data Dictionary, 소단위 명세서Mini Specification를 사용하고, 정보공학 방법론에서는 개체-관계 다이어그램 ERD : Entity-Relationship Diagram을 데이터베이스 설계를 표현하는 데 사용한다. 또 객체지향 방법론에서는 대부분의 나라에서 공통으로 사용하는 언어로써, 객체지향방법론 중에서 장점들을 통합하여 여러 가지 방법론들을 모두 표현할 수 있도록 만든 UMLUnified Modeling Language 표기법을 사용한다.

(3) 설계

요구 사항 분석을 개념적인 단계라 한다면, 설계 과정은 물리적 실현의 첫 단계로 시스

템의 설계는 서브시스템들의 구성으로 된 시스템 구조를 결정한다.

즉, 설계 단계에서는 요구 분석 단계에서 특정 표현 도구를 이용해 표현한 유스케이스 Use Case 다이어그램과 클래스Class 다이어그램 등을 가지고 코딩할 수 있는 수준으로 구체화하는 단계이다. 이 단계에서 컴퓨팅적 사고의 요소인 분할, 추상화, 단계적 분해 등이 이루어진다.

(4) 구현

구현단계는 요구 사항을 만족할 수 있도록 프로그래밍해서 프로그램을 작성하는 단계로 여러 사람이 협업을 할 수 있기 때문에 작업에 따른 규칙을 결정하여 상세 설계나 사용자 지침에 일치하게 코딩해야 한다. 일반적으로 표준 코딩 규칙을 적용한다.

(5) 테스트

시스템이 정해진 요구 만족하는지, 예상과 실제의 어떤 차이가 있는지 평가하는 일련의 과정으로 프로그램이 완성된 후 출시하기 전에 여러 테스트 단계를 거쳐 오류를 찾아내는데, 테스트 기법에 따른 분류를 보면 개발자나 사용자 관점에 따른 분류와 사용 목적에 따른 분류, 소프트웨어 개발 단계에 따른 분류 등이 적용된다.

(6) 품질 관리

개발된 시스템이 사용자의 요구사항에 얼마나 충족시켰는지를 점검하는 단계로 소프트웨어의 대표적 품질 특성(기능성, 신뢰성, 효율성, 사용성, 유지 보수성, 이식성 등)을 보편적이고 일관적이게 관리하기 위해서 우선 사용자가 어떤 항목을 중요하게 생각하는지 파악 후 품질 관리를 수행한다.

(7) 유지보수

개발된 시스템의 출시 이후 발생되는 여러가지 문제점들을 해결하기 위한 단계로 오류에 대한 수정 유지보수, 시스템에대한 적응 유지보수, 시스템 성능 향상을 위한 기능보강 유지보수 등이 있다.

4.3 소프트웨어 생명 주기 모형

소프트웨어 개발, 유지보수 등에 필요한 여러 가지 일들의 수행 방법과 이러한 일들을 효율적으로 수행하려는 과정에서 필요한 각종 기법 및 도구를 체계적으로 정리하여 표준화한 것이다.

4.3.1 폭포수 모형

폭포수 모형은 1970년대에 소개된 모형으로 소프트웨어 공학에서 가장 오래되고 가장 폭넓게 사용된 전통적인 소프트웨어 생명 주기 모형으로, 고전적 생명 주기 모형이라고도 한다. 소프트웨어 개발 과정의 앞 단계가 끝나야만 다음 단계로 넘어갈 수 있는 선형 순차적 모형으로 단순하거나 응용 분야를 잘 알고 있는 경우 적합하다.

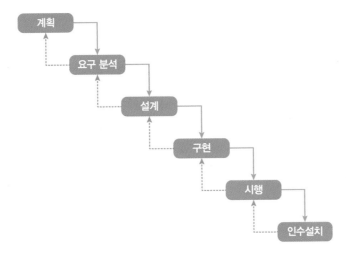

그림 4-2 폭포수 모형

4.3.2 프로토타입 모형

소프트웨어의 개발이 완료된 시점에서 오류가 발견되는 폭포수 모형의 단점을 보완하기 위한 프로토타입 모형Prototype Model, 원형 모형은 사용자의 요구를 더 정확히 파악하여 알고리즘의 타당성, 운영체제와의 조화, 인터페이스의 견본품/시제품을 만들어 최종 결과물을 예측하는 모형이다. 시스템의 일부 혹은 시스템의 모형을 만드는 과정으로서 요구된 소프트웨어를 구현하는데, 이는 추후 구현 단계에서 사용될 골격 코드가 된다.

그림 4-3 프로토타입 모형

4.3.3 나선형 모형

소프트웨어를 개발하면서 발생할 수 있는 위험을 관리하고 최소화하는 것을 목적으로 만들어진 나선형 모형Spiral Model, 점진적 모형은 보헴Boehm이 제안한 것으로, 폭포수 모형과 프로토타입 모형의 장점에 위험 분석 기능을 추가한 모형이다. 나선을 따라 돌듯이 여러 번의 소프트웨어 개발 과정을 거쳐 점증적으로(프로토타입을 지속적으로 발전시켜) 완벽한 최종 소프트웨어를 개발하는 것으로, 피드백과 테스트가 용이한 점증적 모형이다.

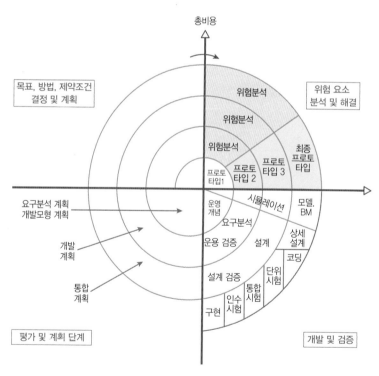

그림 4-4 나선형 모형

EXERCISES

1. 소프트웨어 개발에 대하여 설명하시오.

2. 소프트웨어 생명주기를 단계별로 설명하시오.

3. 소프트웨어 생명 주기 모형 중 폭포수 모형에 대하여 설명하시오.

4. 소프트웨어 생명 주기 모형 중 프로토타입 모형에 대하여 설명하시오.

5. 소프트웨어 생명 주기 모형 중 나선형 모형에 대하여 설명하시오.

4차 산업혁명과
사물인터넷

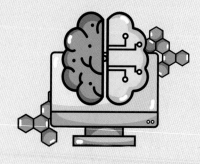

P A R T 2

CHAPTER 5
데이터와 빅데이터

5.1 데이터, 정보, 지식 정의

우리는 일상에서 데이터라는 용어를 자주 사용합니다. '데이터'와 '정보', '지식'과 같은 용어는 지금과 같은 정보화, 지식화 사회에서 중요한 핵심 개념이면서, 때론 그 경계가 모호하게 사용되고 있다.

여기 '정보'에 대한 몇 가지 정의가 있다.

- "정보란 특정 상황에서 가치가 평가된 데이터다" – A. M. McDonough (정보경제학 1963)
- "정보란 받아들이는 사람에게 필요한 형태로 처리된 데이터이며, 현재 또는 장래의 의사결정에 있어서 실현되든지 혹은 그 가치가 인정된 데이터이다." – G.B. Davis
- "Intelligence란 단편적인 정보들을 모아서 그것을 하나하나 평가하여 보다 광범위하고 명확한 틀이 되도록 정리하는 조직적인 방법 또는 지적능력을 말한다." – Lapiras Parago

이를 기반으로 데이터와 정보, 지식에 대해 아래와 같이 구분하여 정의할 수 있다.

5.1.1 데이터

현실 세계에 존재하는 사실적인 사료를 수집한 것.
예 기본적인 사실, 숫자, 측정치

5.1.2 정보

데이터를 의미 있는 패턴으로 처리한 대상으로 의사결정을 할 수 있게 하는 데이터의 유효한 해석이나 상호 관계, 의미 등을 나타낸다.
예 의사결정을 위해 분석, 요약, 처리된 데이터.

5.1.3 지식

정보를 사용자의 경험과 결합하여 현실에 적용, 부가가치를 창출해 낼 수 있는 대상으로 데이터와 정보가 의사 결정에 도움이 되는 규칙 집합으로 바뀔 때 얻을 수 있다.

　예 정보로부터 얻어지는 대상 또는 모델.

그림 5-1 데이터, 정보, 지식의 연관성

데이터, 정보, 지식에 실생활에서 건강검진을 하거나, 운동을 하러 가면 기본적으로 신체측정을 하기 위해시 실시하는 체성분 분석기 (예: 인바디 장비) 를 대입해 보면 다음과 같다.

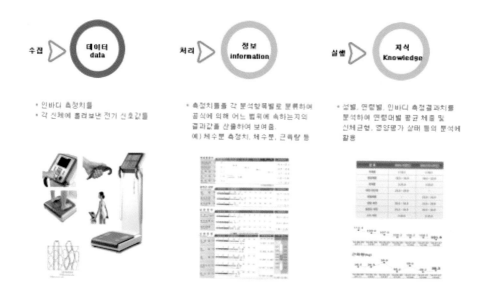

그림 5-2 데이터, 정보, 지식의 연관성 사례

인바디는, 몸에 전기를 보내 돌아오는 전기 신호값을 받아서, 미리 정해져있는 공식에 의해서 나오는 수치로 평가하는 수단이다.

예를 들어, 지방에는 전류가 적게 흐르고, 수분이 많이 함유된 근육에는 전기가 많이 흐르는 원리 등을 이용해 측정값을 낸다. 여기서 측정하는 정보들이 데이터 이며, 데이터들을 토대로 산출된 측정결과치가 정보가 된다. 또한 이 측정결과치를 분석하여 부가가치를 낼 수 있는 통계정보 등의 지식이 된다.

5.2 빅데이터와 데이터마이닝

5.2.1 빅데이터 Big Data

빅데이터란 과거 아날로그 환경에서 생성되던 데이터에 비하면 그 규모가 방대하고, 생성 주기도 짧고, 형태도 수치 데이터뿐 아니라 문자와 영상 데이터를 포함하는 대규모 데이터를 말한다.

PC와 인터넷, 모바일 기기 이용이 생활화되면서 사람들이 도처에 남긴 발자국(데이터)은 기하급수적으로 증가하고 있다. 쇼핑의 예를 들어 보자. 데이터의 관점에서 보면 과거에는 상점에서 물건을 살 때만 데이터가 기록되었다. 반면 인터넷쇼핑몰의 경우에는 구매를 하지 않더라도 방문자가 돌아다닌 기록이 자동적으로 데이터로 저장된다. 어떤 상품에 관심이 있는지, 얼마 동안 쇼핑몰에 머물렀는지를 알 수 있다. 쇼핑뿐 아니라 은행, 증권과 같은 금융거래, 교육과 학습, 여가활동, 자료검색과 이메일 등 하루 대부분의 시간을 PC와 인터넷에 할애한다. 사람과 기계, 기계와 기계가 서로 정보를 주고받는 사물지능통신 M2M, Machine to Machine의 확산도 디지털 정보가 폭발적으로 증가하게 되는 이유다.

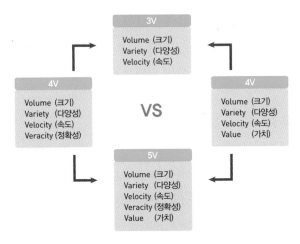

그림 5-3 빅데이터 특징 변화

표 5-1 빅데이터의 환경 특징

구분	기존환경	빅데이터환경
데이터	• 정형화된 수치자료 중심	• 비정형의 다양한 데이터 • 문자 데이터(SMS, 검색어) • 영상 데이터(CCTV, 동영상) • 위치 데이터 등
하드웨어	• 고기의 저장장치 • 데이터베이스 • 데이터웨어하우스(Data-ware-house)	• 클라우드 컴퓨팅 등 비용효율적인 장비 활용 가능
소프트웨어/ 분석 방법	• 관계형 데이터베이스RDBMS • 통계패키지(SAS, SPSS) • 데이터 마이닝Data Mining • Machine learning Knowledge discovery	• 오픈소스 형태의 무료 소프트웨어 • Hadoop, NoSQL • 오픈 소스 통계솔루션(R) • 텍스트 마이닝Text Mining • 온라인 버즈 분석Opinion Mining • 감성 분석Sentiment Analysis

5.2.2 데이터 마이닝Data Mining

데이터 마이닝은 기업들이 보유한 대용량 데이터(빅데이터) 속에서 체계적이고 자동으로 통계적 규칙이나 상호 연관성, 패턴 등을 찾아내는 방법론이다. 여기에는 복잡한 통계 기법이 응용되며, 복잡한 변수의 상관관계 속에서 핵심적인 변수를 추출하는 분석 기법이 사용되기도 한다. 데이터 마이닝은 흔히 고객 관련 정보를 토대로 미래의 구매 행태를 예측하는 데 많이 사용되므로, 새로운 마케팅 기법으로 주목받고 있다.

(1) 데이터 마이닝 도구

데이디 마이닝 도구로는 SASStatistical Analysis System나 R 등이 있는데, R을 이용한 데이터 마이닝을 잠시 소개한다. R은 오픈 소스 프로그램으로, 통계, 데이터 마이닝 및 그래프를 위한 프로그램 언어이다. 또한 병렬처리(multi-core)가 가능하며, 다양한 최신 알고리즘을 사용하고, 클러스터(하둡 지원 필요), 클라우드, 다양한 함수를 지원한다.

(2) 데이터 마이닝 기법

마이닝 기법에는 크게

① 연관성 탐사Association Analysis

② 연속성 탐사

③ 분류 규칙 탐사Classification와 군집 구분Clustering

④ 사회 연결망 분석Social Network Analysis

⑤ 예측Forecasting

⑥ 텍스트 마이닝Text Mining 등이 있다.

(3) 데이터 시각화Data Visualization

데이터 시각화란 추상적인 정보를 인간이 효과적으로 인지, 이해할 수 있도록 시각화하는 것이다. 이해하기 어려운 복잡하고 추상적인 데이터도 적절한 시각화를 통하면 쉽게 이해할 수 있으며, 그로부터 새로운 영감과 통찰을 발견할 수 있다. 또한 데이터 시각화를 통해 데이터 분석 결과 및 정보를 타인과 쉽게 공유할 수 있다.

활용하는 몇몇 기업의 사례를 봤는데, 앞으로는 사회 전반에서 빅데이터의 활용이 더욱 늘어날 것이다. 각 분야별로 빅데이터를 어떻게 활용할 수 있는지 살펴보자.

■ 의료

의료 정보(R&D, 치료, 진료비)와 환자의 일반 정보(생활 습관, 기호품 등)를 통해 신약을 개발하거나, 질병을 조기 진단한다. 개인의 게놈Genome 데이터를 분석하여 개인별 맞춤 약품을 개발하고 처방한다.

■ 유통, 마케팅

소비자의 과거 구매 이력, SNS 메시지, 현재 위치 등의 정보를 통해 최적 상품 및 구매 조건을 실시간으로 제시한다. 또는 광고, 이벤트 등의 마케팅 활동에 대한 소비자 반응을 실시간으로 평가하여 대응한다.

■ 제품 A/S, 품질 개선

제품에 부착된 원격 센서로 제품 상태를 모니터링하여 원격 수리를 하거나, 또는 담당자를 파견하여 수리 조치한다. 제품 사용 패턴, 고장 이력 등의 정보를 차기 제품 개발에 반영한다.

■ **인프라 : 교통, 전력**

스마트폰, 차량 내비게이션 위치 등을 활용하여 실시간 최적 경로를 제시한다. 과거의 기후/날씨 정보, 전력 사용 패턴 등의 정보를 활용하여 실시간 전력 요금을 설계하고, 발전 설비 건설 계획을 수립한다.

5.3 데이터베이스

5.3.1 데이터베이스 정의

개인 혹은 단체가 정보를 얻고 특정 목표를 달성하기 위한 지식은 수많은 데이터로부터 비롯된다. 예전에는 이러한 데이터들이 서류로서만 관리되었으나 컴퓨터의 보급과 함께 데이터들을 전산시스템에 저장해서 사용하는 일이 일반화되었다.

전산시스템에 데이터를 저장할 때는 다양한 시스템에서 다양한 응용프로그램을 이용하게 된다. 이때, 데이터에 대하여 사전에 약속된 틀이나 정형화된 형식이 없이 저장되는 경우 동일한 주제에 대하여 여러 이해관계자들이 참조하기에는 어려움이 발생한다. 또한, 관리하고자 하는 데이터의 내용과 양이 방대해지기 시작하면서 데이터의 통합관리 필요성이 더욱 대두되었다.

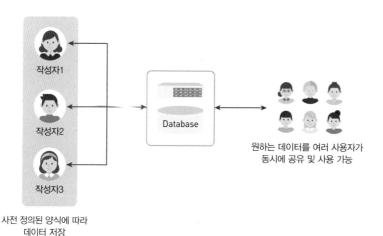

그림 5-4 데이터베이스 관리 시스템

서로 다른 형식으로 각기 관리되는 데이터들을 여러 관계자들이 동시에 공유하고 사용하기에 어려움이 발생한다. 이와 같은 필요성(여러 사람에 의해 공유되고 사용되어야 하는 요구 및, 내용과 양이 방대해지는 데이터들을 통합 관리 필요)에 따라 모든 데이터를 체계적으로 분류하고 전산화하여 시스템에 저장하기 위한 공간인 데이터베이스가 생겨나게 되었다. 데이터베이스가 생겨남에 따라 여러 사용자가 동시에 데이터의 공유 사용 가능해졌다.

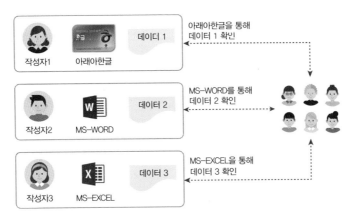

그림 5-5 데이터베이스 관리 시스템 사례

5.3.2 데이터베이스 특징

- **실시간 접근 가능** : 데이터베이스는 사용자의 요청을 실시간 처리하고 응답이 가능해야 한다.
- **계속적인 변화** : 데이터 값은 사용자의 요청에 따라 삽입, 수정, 삭제 등의 연산에 의해 동적으로 변동된다.
- **동시공유** : 다수의 사용자는 동시에 같은 내용의 데이터를 접근할 수 있어야 한다.
- **내용에 의한 참조** : 데이터 참조 시 데이터의 주소나 위치가 아닌 사용자가 요구하는 데이터 내용으로 데이터를 접근할 수 있다.

EXERCISES

1. 데이터, 정보, 지식에 대하여 설명하시오.

2. 빅데이터에 대하여 설명하시오.

3. 데이터 마이닝 기법에 대하여 설명하시오.

4. 데이터 시각화에 대하여 설명하시오.

5. 데이터베이스 특징에 대하여 설명하시오.

CHAPTER 6

블록체인 과 암호화폐

최근 들어 비트코인과 이더(이더리움의 화폐) 등의 가격이 급등하면서 암호화 화폐, 블록체인에 대한 대중의 관심이 높아졌다. 하지만 여전히 비트코인을 비롯한 블록체인에 대한 일반의 이해는 오해에 가깝다. 예를 들어, 블록체인을 암호화 회폐의 관점에서 투사(투기) 대상으로만 보는 것이다. 다른 한편으로는 분산장부Distributed Ledger의 관점에서 기존 시스템을 더욱 효율화하고 고도화할 기술로만 생각하는 것이다.

이러한 오해는 블록체인이 가져올 변화에 대해 무시하거나 과소평가하는 결과를 가져온다. 하지만 블록체인은 크게 세 가지 측면에서 금융, 조직, 경제, 사회에 혁명적인 변화를 가져올 것이다.

첫째, 블록체인은 유무형의 자산(가치)을 안전하게 저장할 수 있다.

둘째, 이렇게 저장된 자산은 스마트 컨트랙트Smart Contract를 이용하여 안전하게 거래할 수 있다.

셋째, 나아가 블록체인은 우리가 협업하고 조직화하는 방식을 완전히 바꿀 수 있다.

6.1 블록체인이란 무엇인가?

첫째, 블록체인 시스템은 한마디로 인터넷 상에서 중개자Middleman이 없이 거래 당사자 간의 직접 거래(금융 거래 뿐 아니라 다양한 유형의 거래)를 가능케하는 시스템이다. 예를 들어, 블록체인을 이용하면 은행이나 트랜스퍼와이즈(P2P 외환 송금 서비스)와 같은 핀테크FinTech 기업 없이 중국에 있는 개인과 안전하게 외환거래가 가능하다.

둘째, 블록체인 시스템은 분산 장부(좁은 의미의 블록체인), 즉 모든 거래 참여자들이 거래를 기록하고 공유하는 공개장부를 기반으로 작동하는 시스템으로 다음과 같은 속성을 지니고 있다.

- 국가나 지역과 관계없이 누구나 참여 및 접근이 가능하다.
- 다운되지 않으며, 누구도 멈출수 없으며, 해킹이 불가능하다.

- 거래의 실행이 100% 보장되며 누구든지 거래의 내용 및 결과를 확인할 수 있다.
- 거래 결과는 영원히 저장되며 위변조될 수 없다.

그렇다면 암호화 화폐는 이러한 시스템에서 어떤 역할을 할까?

6.2 암호화 화폐의 역할

암호화 화폐는 블록체인 시스템의 내부 자산Internal Capital으로, 거래의 매개체로 이용되기도 하지만 블록체인 시스템을 안전하게 유지하는데 사용되기도 한다.

블록체인 시스템은 암호학Cryptography과 경제시스템Economic System이 절묘하게 조합된 시스템이다. 블록체인 시스템은 누구도 참여를 강제할 수 없다. 따라서 참여자가 자발적으로 참여할 수 있는 인센티브를 제공해야 한다. 또한 누구나 참여할 수 있기 때문에, 즉 아무도 믿을 수 없기 때문에, 이들이 규칙을 따르는 것이 규칙을 깨는 것(예를 들어 해킹)보다 훨씬 더 이익이 되도록 해야 한다. 암호화 화폐는 이러한 인센티브 시스템의 근간이다.

예를 들어 비트코인Bitcoin이나 이더리움Ethereum는 분산장부를 안전하게 지키는 채굴자에게 보상으로 제공됨으로써 채굴자 개개인의 경제적 인센티브와 블록체인 참여자 전체의 목표를 정렬Align시키는 역할을 한다.

또한 암호화 화폐는 기존의 기업관점에서 보면 주식의 역할을 하기도 한다. 비트코인이나 이더리움의 경우 기존의 기업과는 많이 다르지만 경제적 시스템인 것은 틀림없다. 하지만 주식이 존재하지 않기 때문에 암호화 화폐의 가치가 전체 시스템의 가치를 반영한다고 할 수도 있다.

6.3 왜 블록체인인가?

6.3.1 자산의 인터넷

블록체인은 화폐와 같이 위조나 변조가 되어서는 안되는 모든 형태의 자산(가치)을 안전하게 저장할 수 있다. 예를 들어, 자동차의 소유권을 블록체인의 토큰(증서)으로 저장하고 권리를 행사할 수 있다. 우리가 아는 인터넷이 정보의 인터넷이었다면 블록체인은 자산(가치)의 인터넷이라 할 수 있다. 자산의 인터넷이 앞으로 가져올 변화는 정보의 인터넷이 가져온 변화를 넘어설 것이다.

6.3.2 스마트 컨트랙트

이렇게 저장된 자산은 스마트 컨트랙트[Nick Szabo, "Smart Contracts: Building Blocks for Digital Markets," 1996.]를 이용하여 다양한 형태의 거래를 안전하게 수행할 수 있다. 스마트 컨트랙트는 "디지털 자산을 직접 소유하는 컴퓨터 프로그램[Vitalik Buterin, Ethereum: Platform Review, 2016.]"으로 거래 당사자가 서로 믿지 못하는 경우에도 중개자[Trusted 3rd party] 없이 당사자간의 거래를 보장한다. 예를 들어, 자신의 차를 장기대여하고 매월 대여료를 받는 거래를 생각해 보자. 가장 큰 위험은 거래 상대방이 대여료를 내지 않는 것이다. 스마트 컨트랙트를 이용하면 대여료가 한 달 이상 연체되었을때 차문이 열리지 않도록 할 수 있다.

우리의 삶은 형식적·비형식적 계약으로 둘러쌓여 있다. 고용주와는 근로계약을, 은행과는 금융거래 계약을, 보험사와는 보험계약을, 배우자와는 혼인서약을, 정치인들과는 알고도 당하는 계약을 맺는다. 많은 조직, 사회, 경제, 정치적 문제들이 이러한 계약이 제대로 지켜지지 않을 때 야기되고 이를 해결하기 위해 엄청난 사회·경제적 비용(예를 들어, 소송 비용)이 든다. 스마트 컨트랙트는 계약의 수행을 보장함으로써 이러한 비용을 획기적으로 줄일 수 있다.

6.3.3 조직없는 조직화

이러한 스마트 컨트랙트와 암호화 화폐에 기반한 인센티브 시스템은 우리가 협업하고 조직화하는 방식을 완전히 바꿀 수 있다. 블록체인은 소위 DO[Decentralized Organization] 또는 DAO[Decentralized Autonomous Organization]를 가능케 한다. 비트코인이나, 이더리움이 대표적인 사례다. 실패한 실험으로 끝났지만 직원없는 벤처캐피털, The DAO는 DAO의 가능성을 충분히 보여주었다. 이러한 시스템은 기존의 조직에 비해 더 민주적이고, 공평하고, 효율적이며, 유연하다.

그림 6-1 블럭체인 조식화구조

6.3.4 블록체인이 꿈꾸는 세상: 3가지의 종말

블록체인은 지금까지 우리가 알고 있던 세상과는 완전히 다른 세상을 꿈꾸고 있다. 3가지 측면에서 혁명적이라 할 수 있다.

(1) 중개상의 종말End of Middlemen

블록체인 시스템은 기존의 중개상이 더이상 필요없게 만든다. 예를 들어 비트코인을 이용하면 기존의 은행이나 금융결제원이 필요없다. 대부분의 은행들은 블록체인(분산장부)을 이용하여 금융결제원(은행간의 중개상)을 없애려하지만 블록체인은 은행 자체를 없앤다. 중개상의 역할(예를 들어, 위험 분산, 정보 비대칭 해소 등)을 참여자들이 나누어 하고 참여자 간에 직접 거래를 함으로써 사회·경제적 비용을 획기적으로 줄일 수 있다.

(2) 계층구조의 종말End of Hierarchy

블록체인 시스템에는 계층구조가 존재하지 않는다. 비트코인이나 이더리움에는 상사나 부하 직원이 없다. 모두가 동료Peer다. 다만 각각의 역할이 다르고 영향력이 다를 뿐이다. 의사 결정은 민주주의적인 방법으로 한다(우리가 아는 민주주의와는 형식적으로는 많이 다르다. 예를 들어, Proof of Work, Proof of Stake, Liquid Democracy, Futarchy 등이 있다). 그 누구도 통제하지 않지만 모두가 통제하는 조직이다. 이러한 네트워크 구조는 계층구조가 가진 여러가지 단점(예를 들어, 높은 소통 비용, 대리인 비용Agency Costs)을 획기적으로 줄이면서도 높은 확장성Scalability과 유연성Flexibility을 가진다.

(3) 경계의 종말 End of Boundary

블록체인 시스템은 서비스 제공자와 고객이 분리되지 않는다. 비트코인에서는 우리(참여자, 고객)가 은행인 것이다. 우리가 이 시스템 전체를 능동적으로 움직이는 주체가 되어 직접 화폐를 발행하고, 거래를 승인하고, 화폐의 가치를 결정하며, 보안을 책임진다. 참여자 전체가 은행이자 고객인 것이다

블록체인은 지난 20년간 인터넷이 가져온 혁명과는 차원이 다른 혁명을 가져올 컴퓨터 기술이자 사회·경제적 제도다. 물론 아직 눈에 보이는 것은 거품뿐일지 모르나 20년 후 블록체인이 가져올 변화는 상상을 초월할 것이다. 블록체인의 본질을 이해하고 적용하고 적응하는 자는 새로운 기회를 찾을 것이다.

EXERCISES

1. 블록체인에 대하여 설명하시오.

2. 암호화 화폐에 대하여 설명하시오.

3. 스마트 컨트랙트에 대하여 설명하시오.

4. DAO에 대하여 설명하시오.

5. 블록체인이 추구하는 3가지 종말에 대하여 설명하시오.

CHAPTER 7

인공지능의 개요

7.1 인공지능의 정의

인공지능은 "기계로부터 만들어진 지능", "인간이 지닌 지적 능력의 일부 또는 전체를 인공적으로 구현한 것" 등 여러 가지 정의가 있지만 전체적인 내용을 정리해보면 "인간의 판단, 행위, 인지 등을 이해하여 인간의 지능을 기계[1]가 갖출 수 있도록 하는 것" 이라고 할 수 있다. 지능이라고 하는 것은 "도전적인 새로운 과제를 성취하기 위한 사전지식과 경험을 적용할 수 있는 능력" 이라고 언급되며 이는 결국 인간의 지적 능력(들)을 지칭하는 것이라고 할 수 있다. 이러한 능력은 다양한 상황과 문제에 융통성을 갖고 반응하는 데 사용되며 학습능력Learning Ability과도 관련이 있다.

인간처럼 생각하는 기계를 만들려면 인간의 생각과 행동을 연구해야 한다. 하지만 컴퓨터가 듣고, 말하고, 보는 능력을 지니는 것은 매우 힘들고 어려운 작업이기 때문에 인간의 생각하는 것 자체를 모방하는 것이 가장 빠른 방법일 것이다.

인간의 생각과 행동에 대해서 캐슬린 맥코운Kathleen McKeown 교수는 크게 4가지로 구분하고 있다.

■ 인간처럼 생각하는 시스템Systems that think like humans

1985년 호지랜드Haugeland와 1978년 벨만Bellman의 정의에 따르면 인간과 유사한 사고 및 의사결정을 내릴 수 있는 시스템으로 인지모델링 접근 방식으로 인공지능에 기초한 컴퓨터 모델을 만들어 실제 실험을 통해 인간의 사고 작용을 모방하려는 분야로 인간의 복잡한 생각, 인지 등의 작용과 이것을 컴퓨터로 모델화한 것과는 여러 가지로 차이점이 존재한다.

---

1 인공지능에서 기계는 마이크로컴퓨터, PC, 서버 등을 의미함

■ 합리적으로 생각하는 시스템Systems that think rationally

1985년 차니악Charniak과 맥더멋McDermott, 1992년 윈스턴Winston의 정의에 따르면 계산모델을 통해 지각, 추론, 행동 같은 정신적 능력을 갖춘 시스템으로 사고의 법칙 접근 방식이다. 인간의 사고 과정을 컴퓨터로 프로그래밍 할 수 있도록 비형식적인 것을 형식화한 후 기계의 논리 시스템에 적용하여 실제로 수행 되는데 필요한 결론을 추론해 내는 것이다.

■ 인간처럼 행동하는 시스템Systems that act like humans

1990년 커즈와일Kurzweil과 1991년 리치Rich와 나이트Knight의 정의에 따르면 인간의 지능을 필요로 하는 어떤 행동을 기계가 따라 할 수 있는 시스템으로 튜링 테스트 접근 방식이다. 앨런 튜링이 1950년에 제안한 테스트로 기계와 인간이 얼마나 비슷하게 대화할 수 있는지를 기준으로 기계에 지능이 있는지를 판별하는 능력이라고 할 수 있다.

■ 합리적으로 행동하는 시스템Systems that act rationally

1990년 쇼코프Schalkoff와 1993년 루거Lugar와 스터블필드Stubblefield의 정의에 따르면 계산 모델을 통해 지능적 행동을 하는 에이전트[2] 시스템으로 합리적인 에이전트 접근방식이다. 에이전트란 특정 행동을 취하는 개체로, 컴퓨터 에이전트는 단순한 "프로그램" 이 아니라, 자율적인 제어 하에서 작동하고, 주위 환경을 지각하며, 오랜 시간동안 살아남고, 변화에 적응하며, 다른 에이전트의 목표를 흉내 낼 수 있는 속성을 가졌다는 면에서 독특한 것으로 여겨진다.

결론적으로 인공지능은 기계로부터 만들어진 인간의 인지, 추론, 학습 등을 컴퓨터나 시스템 등으로 구현하는 것으로, 그와 같은 지능을 만들 수 있는 방법론이나 실현 가능성 등을 연구하는 기술 또는 과학 분야라고 할 수 있다.

---

2 인공지능 분야에서 자신의 감각기관(sensor)을 통해 환경(environments)을 인지(percept)하여 작용기 (effectors)를 통해 그 환경에 대해 반응(action) 하는 시스템

7.2 인공지능의 역사

7.2.1 인공지능의 시작

인공지능의 태동이라고 할 수 있는 것은 1943년 워렌 맥컬로치Warren McCulloch와 월터 피츠Walter Pitts가 인공지능에 대한 연구에서 시작되었다.

이들이 인공지능을 연구하게 된 것은 뇌에서의 기초 생리학Physiology과 뉴런의 기능에 대한 지식, 러셀Russell과 화이트헤드Whitehead에 따른 명재논리Propositional Logic의 형식적 분석, 튜링의 계산이론Theory of Computation의 연구 3가지 동기에서였다고 한다.

이들은 인공지능의 모델로써 뉴런[3]이 시냅스에 의해 상호간 정보를 처리하는 연결모델을 제안하였다. 하나의 뉴런이 다른 연결된 뉴런으로부터 자극을 받으면 on으로, 아니면 off로 표시하며 뉴런 상호간의 작용 관계를 나타낸다. 인공신경망을 그물망 형태로 연결하면 사람의 뇌에서 동작하는 아주 간단한 기능을 흉내 낼 수 있다는 것을 이론적으로 증명한 것이다. 이 때의 뉴런이 인공지능 측면에서 '충분한 자극을 제공하는 하나의 명제'라고 개념적으로 정의한 최초의 뉴런 인공신경망 모델이다.

이후 1950년에 앨런튜링Alan Turing이 생각하는 기계의 구현 가능성에 대한 튜링테스트를 발표하였으며, 1951년에 맨체스터 대학의 페란티 마크 1Ferranti Mark 1 기계에 크리스토퍼 스트레이Christopher Strachey와 디트리히 프린츠Dietrich Prinz는 체스 프로그램을 출시했다. 이후 1959년에 아서 새뮤얼Arthur Samuel의 "기계가 일일이 코드로 명시하지 않은 동작을 데이터로부터 학습하여 실행할 수 있도록 하는 알고리즘을 개발하는 연구 분야"로 기계학습을 정의하여 이에 대해 도전할 수 있는 충분한 기술적 발전을 이룩했다. 그림 7–1은 인공지능의 역사를 설명하고 있다.

인공지능의 역사에서 빼놓을 수 없는 시작이 다트머스Dart mouth 컨퍼런스이다. 매카시McCarthy는 1956년 여름에 2개월간 민스키Minsky, 섀넌Shannon, 로체스터Rochester 등을 포함하여 오토마타 이론, 신경 회로망, 지능에 관한 연구 등의 워크샵을 개최하여 "학습의 모든 면 또는 지능의 다른 모든 특성으로 기계를 정밀하게 기술할 수 있고 이를 시뮬레이션 할 수 있다"라고 제안했다.

---

3 신경계를 구성하는 주된 세포로서 인접한 신경세포와 시냅스라는 구조를 통해 신호를 주고 받음으로써 다양한 정보를 받아들이고, 저장하는 기능을 함

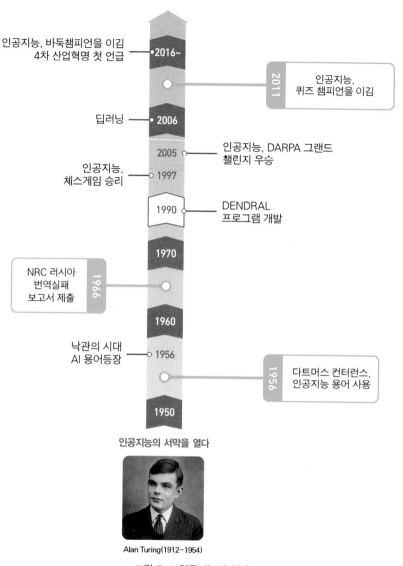

인공지능의 서막을 열다

Alan Turing(1912~1954)

그림 7-1　인공지능의 역사

　　다트머스 워크샵 이후 인공지능에서는 별다른 성과는 없었으나 이후에 인공지능의 여러 분야를 도입하게 되는 직접적인 계기가 되었고, 미국의 MIT, 카네기 멜론 대학교, 스탠포드 대학교, IBM 등에서 연구의 계기를 마련하게 되었으며, 매카시의 주장대로 '인공지능'이란 용어를 최초로 사용하게 된 유명한 워크샵이 되었다.

7.2.2 인공지능의 초기

초기에는 원시적이지만 컴퓨터와 프로그래밍 툴이 개발되면서 간단한 계산 능력을 갖추기 시작하였다. 이 시점에서 노웰(Nowell)과 사이먼(Simon)은 여러 가지 요인을 변화시켜 바람직한 결과와 예상되는 결과 사이의 차이를 줄일 수 있는 GPS(General Problem Solver)라는 문제풀이 시스템을 함께 개발하였는데, 그 결과는 매우 성공적이었다. GPS는 LT(Logic Theorist)와는 달리 인간이 문제를 해결해 나가는 과정을 모델화한 프로그램이었다. 이는 검색(Searching), 목표지향적 행동(Goal-Oriented Behavior), 규칙의 응용(Application of Rules)을 복합하여 사용한 추론 프로그램으로써 인간처럼 비수치적으로 생각하는 접근방식을 가진 최초의 프로그램이라고 할 수 있다.

인공지능의 초기, 시작을 알린 매카시는 1958년 다트머스에서 MIT로 옮겨가면서 중요한 3가지 업적을 남겼다.

첫째, 인공지능 프로그램 언어의 대표적인 LISP를 개발하였다. 이는 인공지능 프로그램의 언어가 되었고, 현존하는 언어 중 두 번째로 오래된 언어가 되었다.

둘째, 시분할 시스템(Time Sharing)을 도입하게 되었는데, 이는 비싼 컴퓨터의 사용료가 계속적으로 문제가 되어 해결하기 위해 시작된 것이다. 당시에는 컴퓨터의 사용료가 비쌌기 때문에 짧은 시간 동안 한사람이 사용하던 것을 다른 사람도 돌아가면서 상호작용하며 사용함으로써 한 대의 컴퓨터를 여러 사람이 동시에 쓰는 효과를 낼 수 있었다.

셋째, 1958년에는 'Programs with Commonsense'란 논문을 발표하면서 'Advice Taker'라는 최초의 완전한 인공지능 프로그램을 개발하게 되었다. 이 프로그램은 지식 표현 및 추론의 중요원리를 모두 포함하고 있으며, 지식은 문제해결을 위해 탐색과정에서 사용된다.

7.2.3 인공지능의 침체기

처음부터 인공지능 연구자들은 성공을 예측했고 심지어 "지금 세상에는 생각하고, 학습하고, 창조하는 기계가 있다" 라고 하버트 사이먼(Herbert Simon)이 1957년에 발언했다. 사이먼의 과신은 간단한 예제를 성공시키기에는 인공지능 시스템의 성능이 좋았던 것에서 기반한다. 그러나, 거의 모든 경우에 있어 초기의 시스템은 문제가 더 넓게 선택되고 더 어렵게 되었을 때, 능력의 한계를 느낄 수 밖에 없다. 그 이유는 첫째, 초기 인공지능 프로그램들이 주제에 관한 지식이 거의 없기 때문에 단순한 문법적 조작에 대해서만 성공 했다는 것이다. 미국 국립 연구 회의National Research Council에서 러시아어를 번역하기 위한 재정을 지원하였으나 언어의 모호함을 해결하고 문장의 내용을 파악하기에는 어려웠던 것이다. 결국 1966년, 자문위원회에서는 "일반적인 과학 텍스트를 기계 번역하는 것은 있을 수 없으며 즉시 사용할 수 있는 전망이 없다"는 보고서로 정부차원의 재정 지원이 모두 취소되었다.

둘째, 인공지능이 해결하고자 하는 문제들이 매우 어렵다는 점이다.

초기 인공지능 프로그램은 해법이 발견 될 때까지 문제에 관한 기본 사실만을 표현하여 단계적으로 해결할 수 있었다. 해법을 발견해서 해결하기에는 간단한 프로그램으로는 가능하였으나 복잡한 인공지능 프로그램은 불가능하였다. 당시에는 좀 더 나은 컴퓨터 기계나 메모리가 확보되면 가능하리라고 기대하고 있었다.

셋째, 지능화된 행동을 생성하기 위해 사용되는 기본적인 구조의 한계 때문이다. 예를 들면, 1969년 민스키Minsky와 퍼페트Papert의 퍼셉트론Perceptron이란 책에서 불가능한 사실을 학습하려고 한다는 점이 문제가 된다는 것이 증명되었다. 물론 세월이 지나 다층 신경회로망을 위한 역전파Back-Propagation 학습 알고리즘이 도입되어 이 문제를 해결할 수 있었지만 당시에는 해결 할 수 없는 문제가 되었다.

7.2.4 활성기(1969-1990)

인공지능의 발전에 어려움이 있었던 이유에는 여러 가지가 있었지만 문제해결 방법이 일반 범용탐색방법General Purpose Search Method이었기 때문이라고 할 수 있다. 이를 해결할 부분에 대한 지식이 부족했기 때문에, 복잡한 부분을 해결하기에는 성능이 떨어질 수밖에 없었다.

이러한 접근방법을 불충분한 방법Weak Methods이라고 부르는데, 그 이유는 비록 일반적이기는 했지만 더 크거나 어려운 문제를 해결하기에는 무리가 따랐기 때문이다. 이를 해결하기 위해서 전형적으로 발생하는 경우를 보다 더 쉽게 다루고, 더 큰 추론단계를 허용하는 더 강력한 특수 영역의Domain-Specific 지식을 사용하였다. 그래서 누군가 어려운 문제를 해결하려 한다면 이미 그 해답을 알고 있는 누군가, 즉, 전문가의 지식을 활용해야만 효율적으로 해결할 수 있다는 것을 깨닫고 지식 집약적 시스템Knowledge-Intensive System을 시작함으로서 활성화 된 것이다.

7.2.5 융성기(1980-현재)

최근 신경 회로망이 다시 융성하기 시작하여 여러 분야에서 신경 회로망을 응용하려는 경향이 보이고 있다. 1970년대 말 신경망 분야는 외면되기 시작했지만 다른 분야에서는 계속 작업이 이루어졌다. 존 홉필드John Hopfield같은 물리학자는 원자의 집합과 같이 교점Node 의 집합을 처리하고, 통계적 기계학Statistical Mechanics의 기술을 사용해서 저장장치를 분석 하고 네트워크를 최적화하였다.

7.3 인공지능의 구분

인공지능은 철학적 관점에서 강인공지능Strong AI과 약인공지능Weak AI로 구분된다. 강한 인공지능은 어떤 문제를 실제로 사고하고 해결할 수 있는 컴퓨터 기반의 인공적인 지능을 만들어 내는 것에 관한 연구라면, 약 인공지능은 어떤 문제를 실제로 생각하거나 해결할 수는 없는 컴퓨터 기반의 인공적인 지능을 만들어 내는 것에 관한 연구라고 할 수 있다.

7.3.1 강인공지능(범용인공지능)

인공지능의 강한 형태는 지각력이 있고, 스스로를 인식하는 인공지능을 지칭한다.

실제로 사고하거나 해결할 수 있다는 점에서 약한 인공지능과 차이가 있으며, 인간의 생각과 같이 컴퓨터 프로그램이 생각하고 행동하는 인공지능인 것이다.

다시 말하자면, 강한 인공지능은 단순한 컴퓨터가 아니라 인간의 지능을 가지고 생각을 할 수 있는 컴퓨터로써 단순한 예로 인간과 전쟁을 일으켰던 영화 터미네이터 처럼 명령을 받지 않아도 스스로 일을 할 수 있으며, 자신이 생각했을 때 불합리하다면 명령을 거부하는 것도 가능한 형태이다. 따라서 인간의 생각처럼 행동하고 사고하는 인간형 인공지능과 인간과 다른 형태의 지각과 사고 추론을 발전시키는 비인간형 인공지능으로 두 형태가 존재하는 것이다.

■ 인공일반지능(AGI)

인공 일반 지능Artificial General Intelligence은 용어에서 일반General의 의미는 '일반적이다'라는 의미보다는 '범용적이다'의 뜻으로 이해해야 할 것이다. 즉 특정한 조건하에서만 적용할 수 있는 약인공지능과 달리 모든 상황에 일반적이고 범용적으로 적용할 수 있는 인공지능을 말한다. 인공일반지능은 약인공지능과 달리 한 번도 해보지 않은 일을 남들이 하는 것을 보고 배워서 실행하는 것이다.

■ 인공의식(AC)

인공 의식Artificial Consciousness은 인공지능 중의 하나로 기계 의식Machine Consciousness, 인 조 의식Synthetic Consciousness이라고도 불린다. 인공 일반 지능의 다음 형태라고도 할 수 있으며, 일반적인 인공지능이 평범한 사물을 분석하고 이해한다면 인공 의식은 그것을 뛰어 넘어 감정, 자아, 창의성 등을 흉내 내거나 아예 갖추어 받아들이고, 자기 자신을 조작하며 환경에 알맞다고 판단하면 해당 요소를 적극적으로 이용해 명령받지 않은 일도 필요하다 고 사고하고 스스로 실천할 수 있는 인공지능이라고 할 수 있다.

7.3.2 약인공지능

약한 인공지능은 어떤 문제를 실제로 생각하거나 해결할 수는 없는 컴퓨터 기반의 인공 적인 지능을 만들어 내는 연구로, 정의된 학습을 통해 특정한 문제를 해결하는 인공지능 을 지칭한다. 실제로 지능이나 지성을 갖추고 있지는 않지만, 미리 정의된 규칙의 모음을 이용해서 지능을 흉내 내는 프로그램을 개발하는 것으로 지능적인 행동처럼 보인다. 강한 인공지능 분야의 연구는 현재의 인공 지능 연구자들이 이루고자 하는 연구기는 하나 그 성 과가 미약했다고 볼 수 있지만, 목표의 관점에 따라 약한 인공지능 분야에서는 꽤 많은 발 전이 이루어졌다고 볼 수 있다.

오늘날 가장 쉽게 볼 수 있는 구글 딥마인드의 알파고, IBM의 왓슨은 모두 룰기반의 인 공지능이 약인공지능이다. 특정 영역의 문제를 푸는 인공지능 기술로써 문제를 해결하거 나, 업무와 연구의 처리에 최적화된 이상적인 인공지능이라고 할 수 있다. 이미 언급한대 로 약한 인공지능은 알고리즘과 기초 데이터, 규칙을 입력해야 한다는, 즉 지도를 해야 한 다는 특징이 있다.

7.4 머신러닝

7.4.1 머신러닝 정의

머신러닝은 컴퓨터가 학습할 수 있는 알고리즘과 기술을 개발하는 인공 지능의 한 분야로써 표현Representation과 일반화Generalization에 중점을 두고 있다. 표현이란 데이터의 평가이며, 일반화란 아직 알 수 없는 데이터에 대한 처리이다.

머신러닝이라는 용어는 IBM의 인공지능 분야 연구원이었던 아서 사무엘이 자신의 논문 "Studies in Machine Learning Using the Game of Checkers"에서 처음으로 사용했다. 여기서 머신Machine이라는 것은 프로그래밍이 가능한 컴퓨터를 말하는 것으로 서버로 통용되기도 한다.

머신러닝은 3가지 접근법으로 연구가 진행되어 왔다. 첫 번째는 신경 모형 패러다임이다. 신경 모형은 퍼셉트론에서 출발해서 지금 딥러닝으로 이어지고 있다. 두 번째는 심볼 개념의 학습 패러다임이다. 이 패러다임은 숫자나 통계이론 대신 논리학이나 그래프 구조를 사용하는 것으로 1970년대 중반부터 1980년대 후반까지 인공지능의 핵심적인 접근법이었다. 세 번째는 현대지식의 집약적 패러다임이다. 1970년대 중반부터 시작된 이 패러다임은 백지상태에서 학습을 시작하는 신경 모형을 지양하고 이미 학습된 지식을 재활용해야한다는 이론이 대두되면서 시작됐다.

1990년대에 들어서부터는 컴퓨터의 학습 방법론에 중점을 뒀던 기존의 접근법보다는 실생활에서 필요한 문제를 해결할 수 있는 실용적인 머신러닝 연구가 주류를 이뤘다. '90년대의 머신러닝 패러다임은 컴퓨터를 이용한 통계학에 가까웠다. 통계학 관점에서 데이터를 분석하는 데이터 마이닝과 이론적으로 많은 부분을 공유했으며, 급격히 발전된 고성능 컴퓨터의 보급과 인터넷의 확산으로 인한 디지털 데이터의 손쉬운 확보도 이러한 움직임에 많은 영향을 끼쳤다.

머신러닝에 대해서 아서 사무엘은 "명시적으로 프로그램을 작성하지 않고 컴퓨터에 학습할 수 있는 능력을 부여하기 위한 연구 분야"라고 했으며 Tom Mitchell은 "만약 컴퓨터 프로그램이 특정한 태스크Tesk T를 수행할 때 성능Performance P만큼 개선되는 경험Experience E를 보이면, 그 컴퓨터 프로그램은 태스크 T와 성능 P에 대해 경험 E를 학습했다라고 할 수 있다" 라고 구체적으로 설명하였다. 예를 들어, 컴퓨터에 글자를 인식하는 학습을 시킨다고 했을 때 컴퓨터가 새롭게 입력된 글자를 분류하는 것(T), 미리 만들어진 데이터 세트로 학습한 경험을 하는 것(E) 정의된 수준으로 글자를 인식하는 것(P)을 컴퓨터는 "학습을 했다"라고 말하는 것이다. 이는 결국 경험을 통해 특정 작업의 성능을 향상시키는 방법을 가리킨다.

7.4.2 머신러닝의 분류

머신러닝은 학습 데이터에 레이블Label이 있는 경우와 그렇지 않은 경우에 따라 각각 지도학습Supervised Learning과 비지도학습Unsupervised Learning으로 구분한다. 지도학습과 비지도학습의 가장 큰 차이점은 '레이블'제공의 유무인데 이는 학습 데이터의 속성을 정의하여 학습시키는 것으로 레이블을 제공하는 방법은 지도 학습, 레이블을 제공하지 않는 방법은 비지도학습으로 구분한다.

우리 주변에 어떤 사물을 인식하기 위해서는 실제 사물을 보여주거나 사물을 찍은 사진을 제공해야 한다. 제공된 사진이나 사물은 학습할 데이터라고 할 수 있고 실물이나 사진 속 사물을 '컵', '책상', '자전거', '고양이'라고 미리 정의한 것을 레이블이라고 한다.

레이블은 사람이 사물이나 사진을 보고 정의한 것이기 때문에 레이블 된 사진을 읽어서 학습을 하는 컴퓨터 입장에서는 사람으로부터 지도를 받은 것이 된다.

반면 입력 데이터에 레이블이 없다면 컴퓨터가 사람으로부터 지도를 받은 것이 없기 때문에 비지도 학습이라고 한다. 지도학습에는 분류Classification, 회귀Regression, 강화Reinforcement모델이 있고, 비지도 학습은 군집Clustering 모델이 있다.

7.5 딥러닝

앞서 인공지능은 인간의 판단, 행위, 인지 등을 이해해서 기계**4**가 인간의 지능을 갖출 수 있도록 하는 것이라고 정의 하였다. 좀 더 이해하기 쉽게 설명하자면 기계가 인간의 지능을 가질 수 있도록 학습을 해야 하는데 학습 중 한 분야가 머신러닝 분야이고 머신러닝의 한 분야가 딥러닝이라고 할 수 있다. 그림 7-2에 이들 간의 관계를 나타내었다.

---

4 인공지능에서 기계는 마이크로컴퓨터, PC, 서버 등을 의미함

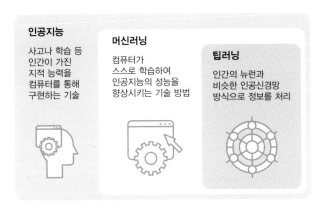

그림 7-2 인공지능, 머신러닝, 딥러닝의 관계도

딥러닝은 간단히 말해서 사람의 사고방식을 컴퓨터에게 가르치는 기계학습의 한 분야로서 인공 신경망을 기반으로 인간의 뇌를 표방한 높은 수준의 추상화[5]Abstractions를 컴퓨터가 스스로 학습할 수 있게 하는 기계 학습의 한 부분으로 정의할 수 있다.

■ 인공신경망의 종류

인공신경망의 종류는 알고리즘별, 이론별로 복잡한 다중 입력과 방향성 피드백 루프와 단방향 또는 양방향 그리고 다양한 계층 등 여러가지 종류가 있지만 일반적으로 언급하고 있는 인공신경망을 크게 DNNDeep Neural Networks, CNNConvolution Neural Networks, RNNRecurrent Neural Networks으로 구분하였다.

(1) DNN

DNNDeep Neural Networks은 퍼셉트론 관점에서 볼 때 하나의 입력과 하나의 출력 층으로 이루어져 있으며 최대 하나의 중간층을 가지고 있다. 그러나 심층 신경망은 입력층과 출력층 사이에 다수의 은닉층들로 구성되어 있다. 기본적으로 DNN은 RBM[6]Restricted Boltzmann Machine을 기반으로 사전학습을 통해 어느 정도 보정을 한 후 튜닝의 과정으로 최종 가중치를 계산하는 방법이다. 때문에 DNN은 레이블 된 데이터 세트가 충분하지 않아도 적용이 가능한 방법이다.

---

5   다량의 데이터나 복잡한 자료들 속에서 핵심적인 내용 또는 기능을 요약하는 작업
6   RBM은 볼츠만 머신에서 층간 연결을 없앤 형태의 모델이다. 층간 연결을 없애면, 머신은 가시층과 은닉층으로 이루어진 무방향 이분 그래프 형태의 모양

(2) CNN

CNN Convolution Neural Network 은 최소한의 사전처리를 사용하도록 설계된 다중 퍼셉트론의 한 종류로서 하나 또는 여러개의 합성곱 계층과 그 위에 올려진 일반적인 인공 신경망 계층들로 이루어져 있다.

(3) RNN

RNN Recurrent Neural Network 은 유닛간의 연결이 순환적 구조를 갖는 특징을 가지고 있어서 지금 들어온 입력 데이터와 신경망 내부에 상태를 저장할 수 있도록 과거에 입력 받았던 데이터를 동시에 고려할 수 있다. 따라서 시변적, 동적 특징을 모델링할 수 있도록 신경망 내부에 상태를 저장할 수 있게 해줌으로서 내부의 메모리를 이용해 시퀀스 형태의 입력을 처리하여 필기체 인식이나 음성 인식과 같이 시변적 특징을 가지는 데이터를 처리하는데 용이하다.

EXERCISES

1. 인공지능에 대하여 설명하시오.

2. 인간의 생각과 행동에 대하여 캐슬린 맥코운교수가 제시한 4가지 시스템에 대하여 설명하시오.

3. 강인공지능과 약인공지능에 대하여 설명하시오.

4. 머신러닝에 대하여 설명하시오.

5. 지도학습과 비지도 학습에 대하여 설명하시오.

6. 딥러닝에 대하여 설명하시오.

CHAPTER 8

사물인터넷과 아두이노

우리는 이미 사물인터넷 시대에 살고 있다. 사물인터넷이란 사물 혹은 인간이 임베디드 Embedded 통신시스템을 동해 긴밀하게 상호작용할 수 있도록 네트워크로 연결된 상태를 의미한다[1].

이번 장에서는, 4차 산업혁명에 있어서의 사물인터넷의 의미를 알아보고, 사물인터넷에 보다 쉽게 다가가기위해, 가장 널리 알려진 아두이노Arduino 개발 환경을 구성하고, IoT를 구현하기 위한 기본 이론과 실습을 진행하고자 한다. (모든 사물들이 인터넷에 접속하여 상호 긴밀하게 작용하도록 완성되어야하겠지만, 지면 제약상, 각 기기들의 구현에 중점을 두어, 향후, 사물인터넷의 완성을 위한 개념 확립에 중점을 둘 것이다.)

8.1 4차 산업혁명과 사물인터넷

4차 산업혁명이란, 2016년 세계 경제 포럼에서 주창된 용어인데, 정보통신 기술(ICT)의 융합으로 이루어낸 혁명시대를 말하는 것이다. 이 혁명의 핵심으로 6대 분야가 제시되고 있는데, 사물인터넷이 그 중 한 분야이다.

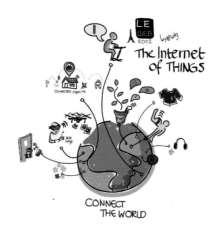

그림 8-1 사물인터넷

---

1 II. 사물인터넷(IoT)이 가져올 미래의 산업변화 전망, 황원식, KIET 산업경제, 2016.3

사물인터넷은 영어로 Internet of Things 이며 줄여서 IoT 라고 부른다. 그 뜻은 "Things: 사물들이 Internet:인터넷에 연결되어있다"라고 이해될 수 있는데, 1999년 MIT 연구원이던 케빈 애슈턴Kevin Ashton이 처음으로 이 용어를 사용한 이래, 오늘날 4차 산업혁명의 핵심용어로 떠오르고 있다. 근래에 들어서, IoT 가 각광받기 전부터 사물과 사물은 서로 연결되어 작동되는 세계에 살아왔었다. 다시말해, 사물에 센서를 탑재하고 그 센서로부터 취득된 데이터를 인터넷으로 주고 받으며 처리하는 기술은 상당히 오래전부터 있어왔던 것이다. 그럼에도 IoT가 최근에 주목받고 발전하기 시작한 이유는 바로 이동통신기술과 빅데이터 분석 기술의 발전 덕분이다[2].

사물과 사물이 연결되어 실시간으로 데이터를 주고받기 위해서는 무선통신시스템의 역할이 중요하며, 실시간으로 전송되는 방대한 양의 데이터들 중에서 유의미한 것들을 구별해내야하는데, 종래에는 불가능에 가까웠던 이러한 기술들이, 머신 러닝Machine Learning 등의 기술과 더불어 빅데이터Big Data 분석 기술의 발전과 5G 이동통신기술의 상용화로 이어지는 오늘날의 초고속 무선이동통신 기술로 가능해졌다.

사물인터넷은 오늘날 홈서비스Home Service 뿐만 아니라 다양한 산업분야에 두루 활용되고 있다. 그 중 하나의 성공 사례로서는 미국 바이탈리티사의 글로우캡(GlowCap)을 들 수 있다.

그림 8-2 바이탈리티사의 글로우캡

---

2 사물인터넷 IoT 사례 | 기술 동향 및 미래 전망 알아보기, 비포유, 2019.1, https://viforyou.com

글로우캡은 환자에게 정확한 시간에 약을 복용할 수 있도록 도와주는데, 지능형 약 뚜껑으로부터 불빛, 오디오, 전화, SMS 메시지 등을 통해 환자에게 정확한 시간에 약을 복용할 수 있도록 도와 주는 서비스를 진행하고 있다. 이를 사용한 경우 98% 이상의 복약 이행률을 보여, 무선통신을 활용한 의료케어 서비스의 긍정적 사례가 되고 있다.

▪ 서비스 주요 내용

- 약병과 인터넷을 결합한 글로우캡 서비스
- 복약시간이 되면, 약병 뚜껑이 소리를 내며 내부의 램프가 점등되어 복약을 유도
- 복약을 위해 약병을 열면 이를 감지하여 AT&T 무선망을 통해 관련 정보를 바이탈리티사의 서버로 전송
- 복약시간이 경과되었음에도 약병 뚜껑을 열지 않았을 경우, 사용자에게 SMS 정보 전송
- 약병 내 약이 소진되었을 경우에도 이를 복약자에게 SMS 통보
- 약에 관한 기록이 매주 요약되어 이메일로 사용자 통보(선택에 따라 가족 구성원이나 친구 또는 보호자에게도 통보)

8.2 아두이노 실습 환경

아두이노는 사물인터넷을 개발하기 위한 오픈소스 플랫폼Open Source Platform으로서, 현재, 가장 널리 쓰이며 매우 유명한 플랫폼이다. 특히 16비트 혹은 8비트의 CPUCentral Processing Unit, 중앙처리장치를 탑재한 소형 임베디드 장치를 개발하는데 주로 사용되고 있다. 개발이라는 말 보다는 학생들과 일반인들의 코딩Coding 교육 및 실습용도로 시작된 프로젝트였지만, 현재는 교육의 목적을 넘어서서 수많은 작품들과 IoT 기기, 웨어러블Wearable 장치 등의 개발 플랫폼으로도 각광을 받고 있다[3].

---

3   소형 IoT 장치 개발 도구인 아두이노 & 아두이노 IDE 소개, https://codedosa.com/655

8.2.1 아두이노 하드웨어 구성

아두이노를 통해 IoT를 개발하기 위한 기본 하드웨어 구성으로 아두이노 보드, 브레드 보드4, 점퍼선 등을 들 수 있다.

(1) 아두이노 보드

아두이노는 이탈리어로 '강력한 친구'라는 뜻이다. 2005년 이탈리아의 마시모 반지 Massimo Banzi와 데이비드 꾸아르띠에예스David Cuatielles가 처음 개발하였다. 간단한 초소형 컴퓨터 기판에 이런저런 기능을 할 수 있도록 프로그래밍을 하여 다양한 기계나 작업, 작품에 활용할 수 있는데, 이들 중 교육에 특화되어 특히 더 쉬운 사용법을 자랑하고 있다. 아두이노 우노, 아두이노 레오나르도, 아두이노 마이크로, 아두이노 나노, 아두이노 미니, 아두이노 메가 등 다양한 보드가 개발 보드로서 제공되며, 대부분 프로그램을 올리는 과정(업로딩 과정)을 단순화하여 다루기 쉽게 제작되어있다.

(1) 아두이노 우노

(2) 아두이노 레오나르도

(3) 아두이노 나노

(4) 아두이노 메가

그림 8-3 아두이노 쉴드의 종류

---

4 bread board, 흔히 빵판이라고 부른다.

이들 중, 교육용으로는 아두이노 우노가 가장 많이 이용되고 있는데, 본 과정에서도 이를 집중적으로 다뤄보고자 한다.

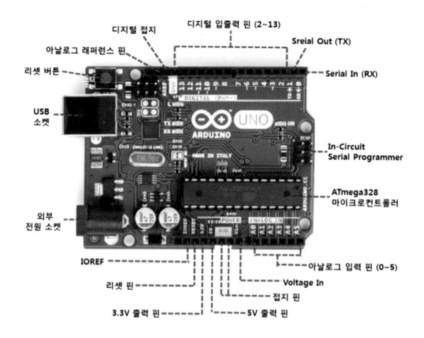

그림 8-4 아두이노 우노 보드 설명

그림 8-4의 아두이노 우노 보드에 전원을 공급하고, 프로그램을 업로드하며, PC와의 통신을 위해 그림 8-5와 같이 그림 8-4의 USB 소켓을 USB 케이블로 접속하고 이를 PC나 노트북의 USB 단자와 연결한다.

그림 8-5 아두이노 우노보드와 컴퓨터(PC혹은 노트북)간의 연결

(2) 브레드 보드 와 점퍼선

아두이노 우노 보드를 중심으로 설계된 회로를 용이하게 구성하게끔 해주는 도구로서 브레드 보드와 점퍼선이 있다. 종래에는 PCB 기판을 만들고 이 위에 소자를 올려놓은 후, 납땜의 작업 과정을 통해 회로를 완성시켰다. 그리고, 잘못 구성되었을 경우, 회로의 수정이 필요한데, PCB[5]를 새로이 제작하거나 납땜을 제거하고 회로를 수정하여 재구성하는 번거로운 작업은 개발 속도를 더디게 했을 뿐만 아니라, 비용도 수월치 않아, 일반인으로서는 쉽게 접근하기 힘든 작업의 과정이기도 하다. 브레드 보드와 점퍼선은 이러한 과정을 단순하게 바꾸어놓았다. 원하는 소자를 위치 시킨 후, 점퍼선으로 이어주면 그만이며 회로가 잘못되었을 경우에는 소자를 정확한 위치에 다시 꽂아 놓아주면 되는 것이다. 그리고 가장 큰 장점은 재사용이 가능하다는 것이다.

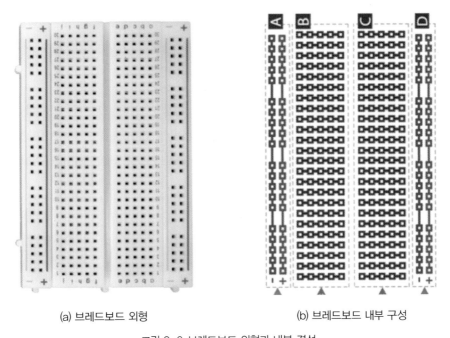

(a) 브레드보드 외형　　　　　　　　(b) 브레드보드 내부 구성

그림 8-6 브레드보드 외형과 내부 결선

그림 8-7은 브레드보드 내에서 또는 아두이노 보드와의 연결에서 사용하는 점퍼선이다.

5　Printed circuit board, 인쇄회로기판

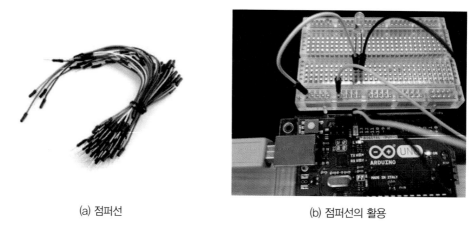

(a) 점퍼선   (b) 점퍼선의 활용

그림 8-7 점퍼선과 그 활용

8.2.2 아두이노 스케치

아두이노 보드를 통해, 원하는 작업을 이행하도록 하려면, 아두이노에 대해 명령을 보내야하는데 이러한 명령을 일련의 순서대로 작성해 놓은 것을 프로그래밍 혹은 코딩이라 부른다. 아두이노에서는 프로그램이나 코드 대신에 스케치Scktch라는 용어를 사용한다. 스케치란 바로 아두이노에 대한 작업지시서인 것이다. (초기에 주로 아티스트와 디자이너가 사용했기 때문에 '아이디어를 빠르고 쉽게 실현할 수 있는 방법'이라는 의미로 '스케치'라는 용어가 사용된다.

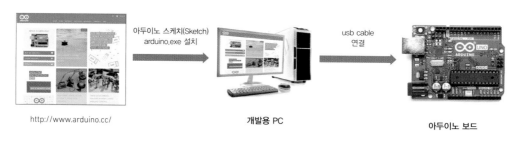

http://www.arduino.cc/   개발용 PC   아두이노 보드

그림 8-8 아두이노 스케치

스케치(프로그램 혹은 코드)를 작성하는 방법은 크게 2가지가 있다. 하나는 아두이노 보드 자체가 WIFI 등의 기능이 있어, 인터넷에 직접 접속이 가능한 경우에는 아두이노 사이트에서 온라인 접속을 통해 제공되는 oneline IDE를 사용할 수 있다. 또다른 한가지 방법은 스케치 프로그램을 PC로 다운로드Download 받아 설치한 후, 이를 통해 스케칭하고 직접

보드에 업로딩Uploading한 후 실행시키는 방법이다. 우리는 현재 아두이노 우노 보드를 이용하고자 하며, 이 보드 자체로는 인터넷에 접속되어있지 않으므로 후자의 방법인 데스크탑Desktop IDE6를 PC로 다운받아 설치한 후, PC 상에서 데스크탑 IDE를 통해 스케치하고 이의 결과를 아두이노 보드에 업로딩하여 실행시키는 과정을 밟아야 한다.

그림 8-9와 같이, https://www.arduino.cc의 사이트에 접속하여, 각자의 OS 환경에 맞춘 스케치용 IDE를 설치할 수 있다.

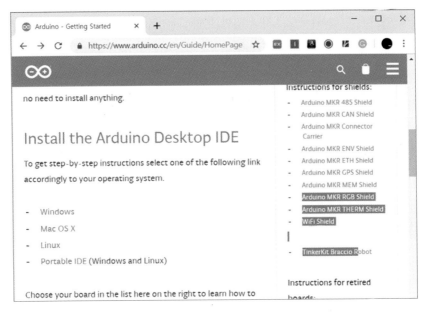

그림 8-9 아두이노 홈페이지

8.2.3 아두이노 작업 과정

아두이노 스케치 과정을 구체적으로 살펴보면 다음과 같다.

(1) 스케치 작업

아두이노 보드로 하여금 진행시킬 작업을 순서대로 기록한다. 이러한 작업은 크게 2가지로 나뉘어질 수 있는데, 그 하나는 setup() 이라는 이름의 함수를 통한 작업이고 또 다른 하나는 loop() 라는 이름의 함수를 통한 작업이다.

---

6   IDE(Integrated Development Environment, 통합개발환경) : 코딩, 디버그, 컴파일, 배포 등의 개발과정을 하나의 프로그램에서 통합적으로 할 수 있도록 만들어주는 환경의 프로그램 도구를 말함.

표 8-1 스케치 작업 함수

함수	설명
setup()	시작되면 단 한번만 실행되는 작업을 스케치
loop()	setup() 이후에 반복적으로 진행될 작업을 스케치

(2) 컴파일

스케치에 열거된 명령어는 오로지 우리만 이해하는 언어로 작성된 것이다. 이러한 스케치 내용은 아두이노 우노 보드가 이해하지 못한다. 이러한 언어를 아두이노 우노 보드가 이해할 수 있는 언어로 바꾸어야 하는데, 이를 '컴파일'이라고 한다. 즉, 아두이노 우노가 이해하는 언어로 번역하는 과정인 것이다.

(3) 업로드

이제 컴파일된 명령지시서는 아두이노 우노에게 보내어져 실행되도록 해야한다. 아두이노 우노에게 보내는 과정을 업로드라고 하며, 아두이노 우노는 이를 받아 보관한 후, 이의 과정을 실행하게 된다.

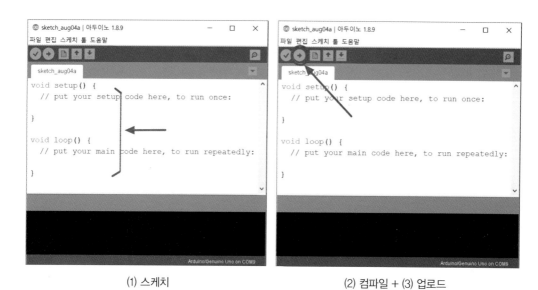

(1) 스케치   (2) 컴파일 + (3) 업로드

그림 8-10 아두이노 스케치

8.2.4 아두이노 스케치 사례

(1) LED 출력

아두이노 우노에는 테스트용으로 LED[7] 하나가 내부에 장착되어있다. 그림 8-4에서 디지털 입출력 핀(2핀 – 13핀) 중 13번 핀이 내부 LED와 연결되어있으며, 13번 핀 하단에 L이라고 표시된 소자가 바로 이 LED이다. 우선 13번 핀을 출력용으로 한번만 설정한다. 이렇게 설정된 13번 핀에 HIGH 값(실제로는 5V의 전압)을 주면 이 LED가 빛을 내게 되고, 13번 핀에 LOW 값(LOW값은 0V의 전압, 즉, GND[8]의 전압)을 주면 LED는 빛을 내지 않게 된다. 이러한 HIGH값과 LOW값을 1초 간격으로 번갈아 진행시키면, 빛은 1초 간격으로 깜빡거리게 될 것이다.

■ **스케치 작성**

작성순서는 다음과 같다.

① 13번 핀을 출력으로 한번 설정한다. (이것을 setup() 내에 둔다)

② 13번 핀에 HIGH 값을 주어 LED를 켠다

③ 1초간 어떤 일도 하지 않는다.

④ 13번 핀에 LOW 값을 주어 LED를 끈다

⑤ 1초간 어떤 일도 하지 않는다.

⑥ 앞서 ②~⑤를 반복시킨다. (즉, ②~⑤를 loop()내에 둔다.)

7 　LED : Light Emitting Diode, 발광다이오드, 순방향으로 전압을 가했을 때 빛을 발하는 반도체 소자
8 　GND : Ground, 접지 전압을 의미하는 기호

```
        void setup()
①          pinMode(13,OUTPUT);



        void loop()
②          digitalWrite(13,HIGH);
③          delay(1000);
④          digitalWrite(13,LOW);
⑤          delay(1000);
```

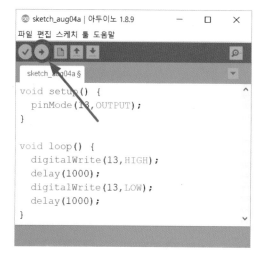

그림 8-11 1초 간격으로 깜빡이는 LED 스케치

표 8-2 LED 출력 함수

함수	설명
digitalWrite(13,HIGH);	13번 핀으로 HIGH 의 디지털(digital) 값을 출력(Write)하는 함수
delay(1000);	1000ms 동안 아무일도 하지 않고 지연(delay)시키기만 하는 함수 (ms 는 밀리세컨드의 뜻으로 m은 0.001 의 단위이다. 따라서 1000ms 는 1000 x 0.001 s = 1s = 1초를 의미한다.)

■ 컴파일 및 업로드

그림 8-12 컴파일 및 업로드

■ **실행**

업로드 이후, 아두이노 우노는 실행단계로 들어가며, 그림 8-13에 표시된 LED 가 1초 간격으로 깜빡이는 것을 볼 수 있다.

그림 8-13 실행 결과

업로드 이후에, 그림 8-13의 USB 단자는 전원공급 장치로서만 사용되며, 아두이노 우노 자체의 Atmel386의 프로그램에 의해 실행된다(물론, 스케치에서 통신용으로 설정하게 되면 시리얼 통신 장치로 활용될 수 있다.). 따라서, C 의 전원공급 단자 또는 D의 Vin 핀을 통해 7~9V의 DC 전압을 인가하거나, D의 5V 핀을 통해 5V 의 DC 전압을 인가하면, B의 단자가 연결 없이도 자체적으로 동작될 수 있다.

(2) 시리얼 통신

그림 8-13에서 B 단자는 (1) 아두이노 우노에게 전원을 공급하고, (2) PC로부터 작성된 스케치를 아두이노 우노로 업로드하며 (3) 스케치의 설정에 따라서는 PC와 아두이노 보드간의 시리얼 통신에 활용된다. (3)의 경우로서, 아두이노 우노가 문자를 시리얼 통신으로 반복해서 보내는 예제를 살펴보도록 한다. 구체적으로는, 아두이노 우노가 "Hello arduino!" 문자열을 시리얼 포트인 B 단자를 통해, PC 로 보내는 것이며, 1초 마다 반복적으로 전송토록 한다. 이때, B 단자의 시리얼 포트로 통신을 하기전에, 한번은 통신용으로 설정을 해주는 과정이 필요하며, 설정과정에서 전송 속도를 설정해주는 과정을 거쳐야 한다.

■ 스케치 작성

작성순서는 다음과 같다.

① 시리얼포트의 사용과 전송 속도를 설정한다. (이것을 setup() 내에 둔다)

   여기서는 9600bps[9]의 속도로 설정한다.

② 설정된 시리얼포트로 "Hello arduino!" 문자를 전송(출력) 한다.

③ 1초간 어떤 일도 하지 않는다.

④ ②~③을 반복시킨다. (반복되는 과정은 loop() 내에 두면 된다.)

표 8-3 시리얼포트 사용 함수

함수	설명
Serial.begin(9600);	USB 단자를 통해 시리얼 통신 준비를 시킨다. 이때 전송속도는 9600 bps 로 설정한다.
Serial.println("Hello arduino!");	설정된 시리얼 통신을 통해 "Hello arduino!"라는 문자열을 보낸다.

```
    void setup() {
①      Serial.begin(9600);
    }


    void loop() {
②      Serial.println("Hello arduino!");
③      delay(1000);
    }
```

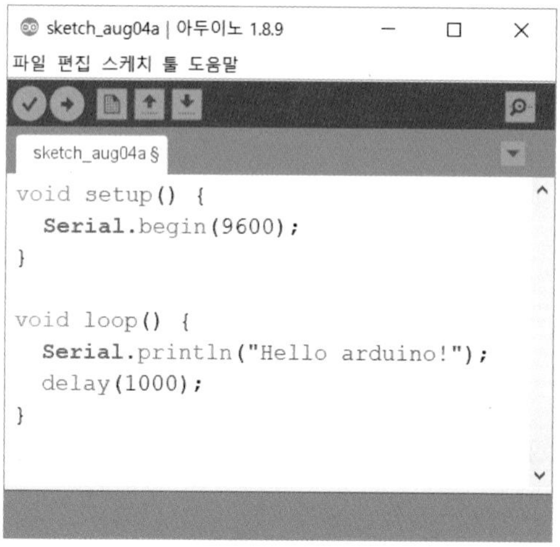

그림 8-14 1초 간격으로 문자열을 전송하는 스케치

---

9 9600bps : 9600 bits per second, 1초당 9600 비트를 보내는 속도이다. 비트는 0 또는 1로 나타나는 최소의 정보표현이며, 1개의 영문자는 10비트(8비트의 아스키코드와 2비트 정도의 정보비트)정도로 표현되므로 1초당 960개의 문자를 보낼 수 있는 속도이다. 이외에도 설정할 수 있는 값으로 4800, 115200 등의 값으로 속도를 지정할 수 있다.)

▪ 컴파일 및 업로드

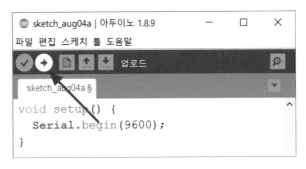

그림 8-15 컴파일 및 업로드 방법

▪ 실행

업로드 이후, 아두이노 우노는 실행단계로 들어가며, 그림 8-13의 B 단자를 통해, "Hello arduino!" 라는 문자열이 1초마다 PC(혹은 노트북 등의 다른 컴퓨터)로 전송된다. 이렇게 전송되는 문자열을 PC에서 확인하려면, 통신을 통해 문자열을 받아서 화면으로 볼 수 있는 특정 프로그램(이러한 프로그램을 모니터 프로그램이라고 함)을 수행시켜야 하는데, 별도로 구입하고 설치해서 사용해야겠지만, 이것을 가능하게 해주는 모니터 프로그램이 아두이노 스케치 IDE에 내장되어 있어서 이를 활용하면 된다.

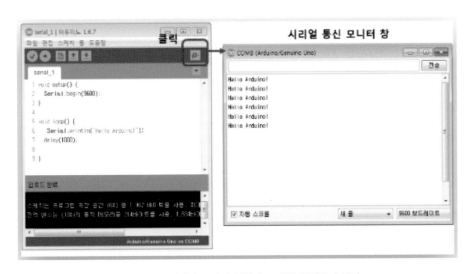

그림 8-16 시리얼 모니터 실행과 스케치 실행결과 화면

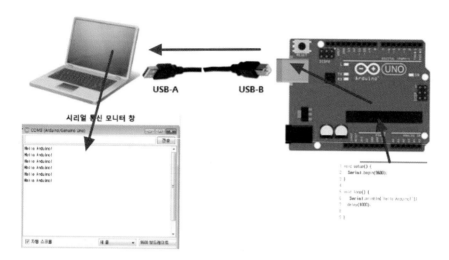

그림 8-17 실행과정

8.3 스케치 기본 실습

아두이노 스케치는 C/C++ 문법으로 작성된다. 아두이노 스케치를 작성하는 프로그램의 기본을 알아본다.

8.3.1 스케치 기초

아두이노 스케치 IDE를 실행함에 있어, 초기에 설정해야 하는 환경을 알아본다.

(1) 보드 선택

아두이노 스케치 IDE 실행 후, 가장 먼저 해야할 일은 보드의 종류를 선택하는 것이다. 본 과정에서는 아두이노 우노(Arduino Uno)를 사용하고 있으므로, 메뉴바에서 "메뉴 > 툴 > 보드 > Arduino/Genuino Uno"를 선택한다.

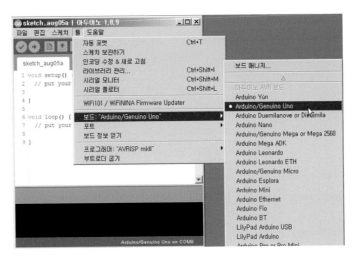

(a) 보드 선택

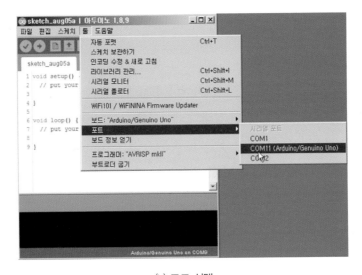

(b) 포트 선택

그림 8-18 아두이노 스케치 IDE 설정

(2) 시리얼 포트 선택

다음에 시리얼 포트Serial port를 선택한다. COM1, COM2 는 대개의 컴퓨터에 자체적으로 내장되어있는 통신포트로서 필요시 사용되는 포트이고, 아두이노 보드를 접속하였을 때, 별도로 생성되는 COM 포트를 선택하면 된다. 대개는 1,2가 아닌 별도(x)의 숫자가 포함되어 COMx(Arduino/Genuino Uno) 와 같이 표기되어있는 아이템을 선택하면 된다.

8.3.2 변수와 사칙연산

아두이노 스케치는 C/C++ 문법으로 작성된다. 아두이노 스케치를 작성하는 프로그램의 기본을 알아본다.

(1) 변수

변수(variable)는 임의의 데이터 값을 일시적으로 기억시키는 공간(메모리)을 의미한다. 변수를 만들면(이를 변수 선언이라 함), 원하는 값을 기억시키고, 필요한 경우 그 메모리의 값을 읽어 올 수 있다.

```
int myVal;             // myVal 이라는 변수를 만든다.
myVal = 32;            // myVal 에 32를 기억시킨다.
Serial.print(myVal);   // myVal 값을 읽어와 이를 출력한다.
```

변수를 만드는 방법으로 2가지를 기억하여야 하는데, 하나는 "변수의 이름을 어떻게 만들것인가?" 와 또 다른 하나는 "어떤 형태의 데이터를 담을 것인가?" 이다.

10, -45 등의 정수값을 기억시킬 것인가, 혹은 0.02, -62.4444 와 같은 실수값을 기억시킬 것인가에 따라, 이에 맞게끔 변수를 만들어야 한다. 또한 변수의 이름도 스케치가 알아들을 수 있게 만들어야 한다.

■ 데이터 형

아두이노는 C/C++ 언어에서 사용하는 자료형과 동일한 자료형을 사용한다. 아두이노 우노는 8비트 기반의 마이크로컨트롤러(MCU)를 사용하고 있으며, 다음 표를 참고하여 선언하면 된다.

표 8-4 아두이노 스케치(C/C++) 의 데이터형(자료형)

자료형	크기(Byte)	값의 범위	비고
char	1	−128~127	정수형(문자형)
int	2	−32768~32767	정수형
long	4	−2,147,483,648 ~ 2,147,484,647	정수형
float	4	$1.2 \times 10^{-38} \sim 3.4 \times 10^{38}$	실수형
double	4	〃	실수형

■ 변수 이름

변수 이름(변수명)은 다음의 규칙에 따라 만들어야 한다. 그렇지 않으면 컴파일러가 번역할 수 없다.

- 영문자, 밑줄(_), 숫자로 구성되어야 한다.
- 변수 이름의 첫 글자는 영문자 또는 밑줄(_)만 가능하다.
- 예약어를 변수의 이름으로 사용하면 안된다.
  (예약어: 이미 특정 용도가 정해져 있는 이름.. 예를 들면 int, float 등)

■ 변수명과 데이터형의 사용예

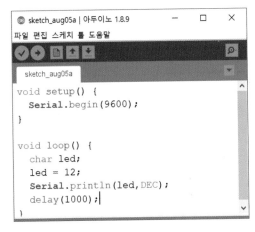
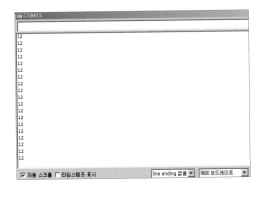

그림 8-19 변수명과 데이터형 관련 스케치와 실행

다음의 표에서 우측의 열은, 위 그림에서 loop 내의 (1)~(3)을 다음 표의 왼쪽 열로 대치했을 때의 동작을 설명하는 사례이다.

표 8-5 변수형과 데이터형에 따른 실행 결과

스케치	실행 결과
char led; led = 12; Serial.println(led,DEC);	led 의 기억공간을 char 형으로 선언 led 에 12를 기억(정수값을 담을 수 있다!) 시리얼모니터에 12 라고 출력됨.
char led; led – 256; Serial.println(led,DEC);	led 의 기억공간을 char 형으로 선언 lcd 에 256을 기억시키고자 하나, 범위를 넘어서기 때문에 엉뚱한 값이 기억됨. (오버플로우 현상) 시리얼모니터에 0 이라고 출력됨.
char led; led = 34.256; Serial.println(led,DEC);	led 의 기억공간을 char 형으로 선언 led 에 35.256을 기억시키고자 하나, led 는 정수값만을 담을 수 있기 때문에, 34 만 기억됨. 시리얼모니터에 34를 출력
int led; led = 256; Serial.println(led,DEC);	led 의 기억공간을 int 형으로 선언 led 에 256을 기억 시리얼모니터에 256을 출력
int 3led; 3led = 256; Serial.println(led,DEC);	변수의 이름은 첫 글자로 영문자 또는 밑줄(_)만 올가미 수 있는데, 숫자로 시작하고 있어 오류이다. 결과 값이 안나온다.

■ **지역변수와 전역변수**

그림 8-20 은 setup() 함수내에서 led 라는 이름의 변수를 선언하고, 이 변 수를 loop() 함수내에서 사용하고자 한 것이다. 그런데, 오류가 발생했다는 메시지가 나타났다. 왜 그런가?

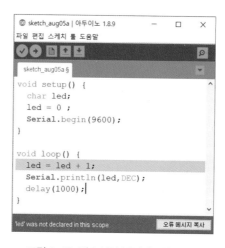

그림 8-20 변수선언 방법에 대한 오류

setup() 내에서 선언된 변수는 setup() 함수 내부에서만 사용이 가능하다. 다르게 표현
하면, setup() 내에서 선언된 변수는 loop() 함수와 같은 다른 함수에서는 사용할 수 없다.
그래서 그림 8-20의 오류를 없애는 방법 중 하나는 다음과 같이 loop() 내에서도 선언해
주는 방법이 있다.

그림 8-21 지역변수의 예

setup() 내에서 선언된 led 변수와 loop() 내에서 선언된 led 변수는 이름은 같아도 전
혀 다른 기억공간이다. setup() 내에서 선언된 led 변수는 setup() 함수 내에서만 유효하며,
loop() 내에서 선언된 led 변수는 loop() 함수내에서만 유효하다. 이와 같이 선언된 함수
내에서만 유효한 변수라고 해서 지역변수라고 부른다. 한번 선언된 변수가 setup() 함수

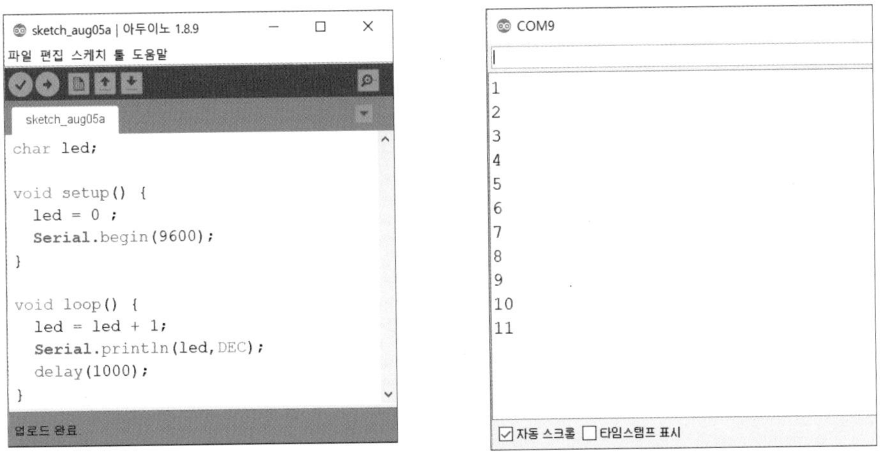

그림 8-22 전역변수의 예

뿐만 아니라, loop() 함수 내에서도 사용가능하도록 만들고 싶을 때에는 어떻게 하여야 하는가? 그것은 바로 전역적으로 선언하는 것이다. 이를 전역변수라고 하는데, 다음 스케치를 통해서 이해할 수 있을 것이다.

그림 8-22와 같이 setup() 함수, loop() 함수 등의 외부에서 변수를 선언하게 되면, 모든 함수의 내부에서 사용할 수 있다. 이와 같이 모든 영역에서 사용할 수 있게끔 외부적으로 선언하는 변수를 전역변수라고 한다. 위 프로그램에서는 setup() 함수 내에서 led의 초기값을 0 으로 주고, loop() 내에서 led의 값을 읽어와 1을 더한 후(led+1), 이의 결과를 led에 기억시키고 때문에, 결과적으로 led에는 1이 증가된 값이 기억된다. 그리고 loop() 가 계속 반복되기 때문에, 시리얼 모니터에는 1씩 증가되는 카운터 값이 출력되는 것이다.

8.3.3 판단문

판단문은 조건문 또는 제어문이라고도 불리며, 주어진 조건을 판단하여 참이면 특정 문장을 실행하고, 그렇지 않으면 건너뛰는 구조를 갖고 있다.

(1) if 문

if 문은 모든 기본적인 프로그래밍 제어구조에서 사용되는 구문으로 가장 기초적인 문법 중의 하나이면서 가장 많이 쓰이는 문법 중 하나이다. if 문은 어떤 조건이 주어졌을 때 그 조건이 참인지 거짓인지에 따라 각각 다른 명령문을 수행할 수 있게끔 해주는 분기의 역할을 담당한다.

```
if(조건식) {
// 조건이  참일  때  실행되는  명령문
}
```

스케치	시리얼모니터
| ```
char led;

void setup() {
led = 0 ;
Serial.begin(9600);
}

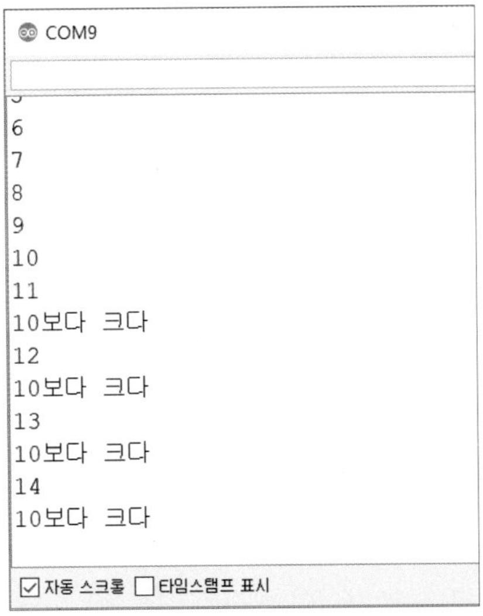

void loop() {
led = led + 1;
Serial.println(led,DEC);
if(led>10) {
Serial.println("10보다 크다");
}
delay(1000);
}
``` | COM9<br><br>5<br>6<br>7<br>8<br>9<br>10<br>11<br>10보다 크다<br>12<br>10보다 크다<br>13<br>10보다 크다<br>14<br>10보다 크다<br><br>☑ 자동 스크롤  ☐ 타임스탬프 표시 |

그림 8-23 if 판단문

setup()에서 초기값으로 0을 갖게되는 led 변수는 loop() 함수가 반복될 때마다 1씩 증가(led=led+1;)하게 된다. 그 증가된 led 값을 시리얼 모니터에 출력(Serial. println(led,DEC);) 한 후, if 문을 통해 led 값이 10보다 크면(참이면), "10보다 크다"를 시리얼 모니터로 출력하게되고, 그렇지 않으면(거짓이면) 이 문장을 건너뛰게 된다. 그리고 1000밀리초(1000ms = 1000 x 10^{-3} s = 1 초)를 지연시킨 후, 다시 loop() 함수를 반복하는 구조를 갖고 있다. 이러한 결과로, 우측의 시리얼 모니터와 같은 화면 결과가 나오게 된다.

위 스케치에서 조건식으로 led>10 의 문장을 사용했는데, 그 밖에 적용할 수 있는 다양한 조건식이 있다.
```

표 8-6 조건식의 종류

조건식의 예	조건식의 내용
led 〉 10	led 의 값이 10 보다 큰가?
led 〉= 10	led 의 값이 10 이상인가?
led 〈 10	led 의 값이 10 보다 작은가?
led 〈= 10	led 의 값이 10 이하인가?
led == 10	led 의 값이 10 과 같은가?
led != 10	led 의 값이 10 과 같지 않은가?

(2) if~else 문

if 문에서 else문을 추가한 구조이다. 조건식이 참일 경우에는 if 문에서 주어진 문장이 실행되고, 조건식이 거짓일 경우에는 else 문이 반드시 실행되도록 하는 구조이다.

```
if(조건) {
// 조건이 참일 때 실행되는 명령어들
}
else {
// 조건이 거짓일 때 실행되는 명령어들
}
```

loop() 내에서 호출될 때 1씩 증가된 led 값이 if 문의 조건식을 통해 10보다 크면(led〉10) Serial.println("10보다 크다"); 가 실행되고, 그렇지 않으면 Serial.println("10보다 작다"); 가 실행된다. 이에 따른 시리얼 모니터의 결과가 그림 8-24의 우측에 나타나고 있다.

스케치	시리얼모니터
| ```
char led;

void setup() {
led = 0 ;
Serial.begin(9600);
}

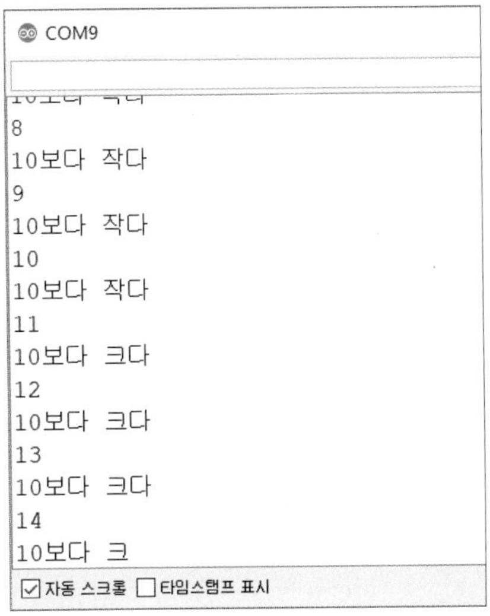

void loop() {
led = led + 1;
Serial.println(led,DEC);
if(led>10) {
Serial.println("10보다 크다");
}
else {
Serial.println("10보다 작다");
}
delay(1000);
}
``` | COM9<br><br>10보다 작다<br>8<br>10보다 작다<br>9<br>10보다 작다<br>10<br>10보다 작다<br>11<br>10보다 크다<br>12<br>10보다 크다<br>13<br>10보다 크다<br>14<br>10보다 크<br>☑ 자동 스크롤 ☐ 타임스탬프 표시 |

그림 8-24 if~else 판단문

8.3.4 반복문

하나 이상의 명령문을 반복해서 실행시키고자 할 때, 반복문을 이용한다. C/C++ 언어에서 이용되는 반복문에는 for문, while 문, do~while 문이 있는데, 그 중 대표적인 것이 for 문이다. for 문은 다음과 같이 구성된다.

```
for( 초기값 ; 조건식 ; 증가값) {
    // 조건식이 참일 때 실행되는 명령문
}
```
```

예를 들어 그림 8-25 에 보여지는 for문의 경우, 진행 순서는 다음과 같다.

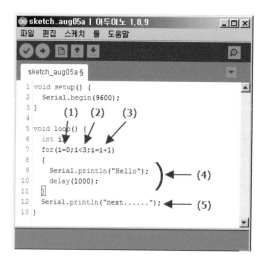

그림 8-25 반복문

① i=0; ········ (1)

for 문으로 진입하면 먼저 초기값이 주어지는 (1)이 실행되어 변수 i에 0이 들어간다.

② i<3; ········ (2)

위 조건식은 i값을 읽고 이 값이 3보다 작은지를 살펴서 참이면 ③으로 가고, 거짓이면 ④로 간다.

③ (4) 의 명령문들을 모두 실행하고 무조건 (3)으로 간다.

④ (4) 의 명령문들을 건너뛰고 다음 문장인 (5)로 진행한다.

⑤ i=i+1 ········ (3)

앞서 ③에 의해 (3)의 증가값이 실행되는데, 여기서는 현재의 i 값에 1을 더한 후 (i+1), 이를 i 에 기억시키고 있다. 결과로 i 값이 1만큼 증가된다. 이러한 증가분의 과정이 끝나면 무조건 (2)로 진행하게 되어 앞서 ②의 과정을 진행하게 된다.

스케치	시리얼모니터
```void setup() { Serial.begin(9600);}void loop() { int i; for(i=0;i<3;i=i+1) { Serial.println("Hello"); delay(1000); } Serial.println("next......");}```	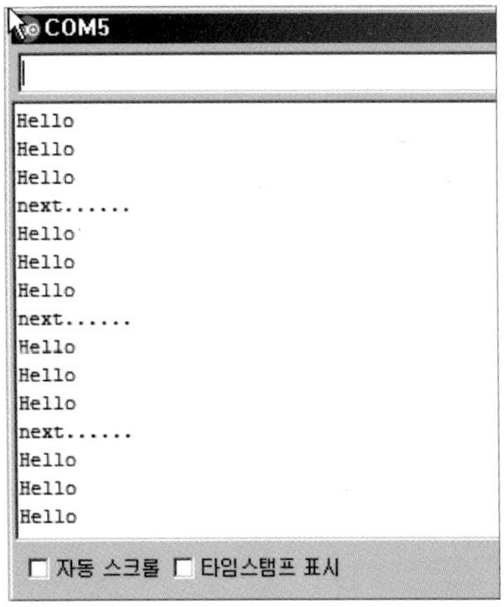 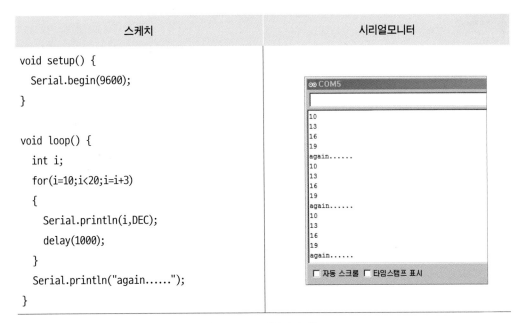

그림 8-26 for 반복문의 예 - 1

다음에 주어지는 사례는, 10부터 20까지 3씩 증가된 값을 출력하는 것을 반복하는 사례이다.

스케치	시리얼모니터
```void setup() { Serial.begin(9600);}void loop() { int i; for(i=10;i<20;i=i+3) { Serial.println(i,DEC); delay(1000); } Serial.println("again......");}```	

그림 8-27 for 반복문의 예 - 2

다음에 주어지는 사례는, 10부터 20까지 1씩 증가된 값에서 홀수 짝수를 골라 출력하는 것을 반복하는 사례이다.

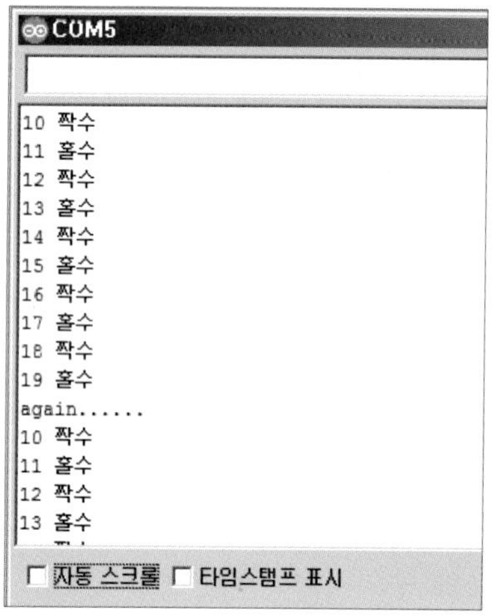

스케치	시리얼모니터
| ```
void loop() {
  int i;
  for(i=10;i<20;i=i+1)
  {
    Serial.print(i,DEC);Serial.print(" ");
    if(i%2==0) {
      Serial.println("짝수");
    }
    else {
      Serial.println("홀수");
    }
  }
  Serial.println("again......");
  delay(1000);
}
``` | |

그림 8-28 for 와 if 문이 결합된 예

8.4 아두이노 액추에이터

사물인터넷의 구현에 있어 아두이노는 센서로 부터 특정 값을 읽어낸 후, 이에 따른 적절한 제어값을 아두이노의 프로세서가 계산토록 하고 이의 결과값을 액추에이터actuator[10]로 보내는 과정으로 진행된다. 예를들어 선풍기와 히터로 방안의 온도를 제어를 한다고 하면, 아두이노는 현재의 온도를 측정한 후, 이 온도에 따라 특정 온도가 유지되게끔 선풍기의 속도를 조절하거나 히터의 강약을 조절하고자 할 것이다. 이때 온도를 측정하는 장치가 센서이며, 선풍기나 히터가 액추에이터가 될 것이다. 아두이노는 이러한 센서로 부터 온도를 읽고, 내부적으로 계산이나 판단을 통해 액추에이터를 제어하는 신호를 내보내게 된다.

---

10 액추에이터 : 디지털 또는 아날로그 신호를 이용해 특정 기능을 동작시키는 전자부품
```

아두이노에서 사용되는 액츄에이터로서 LED, 삼색 LED, 피에조 스피커(피에조 부저), 7 세그먼트, DC모터, 스텝모터, LCD, 서보모터, 릴레이, 블루투스 모듈(블루투스 모듈은 통신용이지만, 분류 상 액츄에이터에 넣었다) 등이 있다.

8.4.1 LED 출력

(1) 하나의 LED 출력

여러 액츄에이터 중 대표적으로 사용되는 LED 를 이용해 보자. 이미 8.2.4에서 "아두이노 스케치 사례" 를 통해, 아두이노 보드에 내장되어있는 LED 를 점멸시켜보았다. 이제 별도로 주어지는 LED 소자를 이용하여, 이를 점멸시켜보고자 한다. 우선 LED 의 극성을 알아야 한다. 그림 8-29에서 LED는 리드선이 긴 쪽이 +극성이고, 짧은 쪽이 − 극성이다.

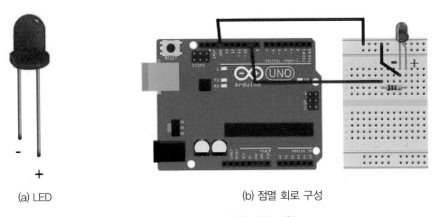

(a) LED   (b) 점멸 회로 구성

그림 8-29 하나의 LED 에 대한 점멸 실험

이제 이 LED 를 그림 8-29의 (b) 와 같이 점퍼선과 브레드보드를 이용해 연결하고, 다음과 같이 아두이노 스케치 IDE에서 스케치한 후 보드로 업로딩해본다.

- 아두이노 점퍼선의 경우, 아두이노 보드의 GND 와 9번 핀에 연결
- 저항은 220오옴의 막대저항을 이용(빨간색−빨간색−갈색 의 띠)

```
void setup() {
  pinMode(9,OUTPUT);
}
void loop() {
  digitalWrite(9,HIGH);
  delay(500);
  digitalWrite(9,LOW);
  delay(500);
}
```

이의 결과로 LED는 0.5초 간격으로 점멸됨을 볼 수 있다.

(2) 다수의 LED 출력

다수개의 LED를 출력하는 사례로서 3개의 LED에 대해 제어해보고자 한다. (1) 2개의 LED가 동시에 켜지고, 0.5초 지난 후, (2) 나머지 1개의 LED가 켜지며, 0.5초 지난 후, 다시 (1)로 반복하고자 한다.

하드웨어는 그림 8-31 과 같이 구성한다.

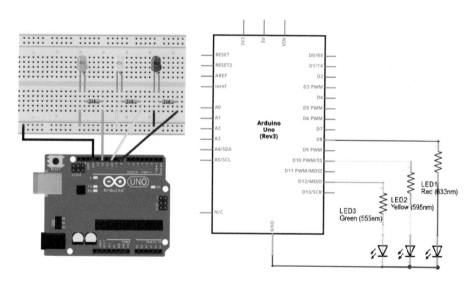

그림 8-30 다수개의 LED 구동을 위한 아두이노 구성과 회로도

그림 8-30에서 좌측 그림은 실제 구성 화면이고, 우측 그림은 이와 관련한 회로도이다. 앞서 문제에 대한 스케치는 다음과 같이 작성할 수 있다.

```
void setup() {
  pinMode(8,OUTPUT);
  pinMode(10,OUTPUT);
  pinMode(12,OUTPUT);
}
void loop() {
  digitalWrite(8,HIGH);
  digitalWrite(10,HIGH);
  digitalWrite(12,LOW);
  delay(500);
  digitalWrite(8,LOW);
  digitalWrite(10,LOW);
  digitalWrite(12,HIGH);
  delay(500);
}
```

8.4.2 아나로그 출력

아두이노로 아나로그 신호를 출력할 수 있다. 아두이노에서 출력되는 실제의 아나로스 신호는 PWM 신호이다. PWM Pulse Width Modulation 은 펄스폭변조의 약어로서 신호의 크기나 세기를 펄스의 폭으로 표현한 신호이다. 펄스의 폭이 변화하면, 이의 평균전압이 바뀌게 되어, 디지털 신호를 아나로그 신호로 표현할 수 있는 방법으로 사용할 수 있다.

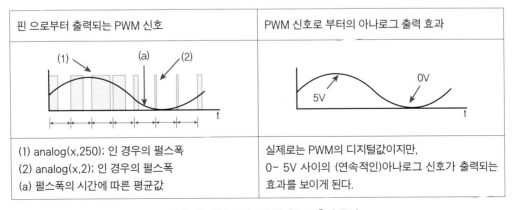

핀 으로부터 출력되는 PWM 신호	PWM 신호로 부터의 아나로그 출력 효과
(1) analog(x,250); 인 경우의 펄스폭 (2) analog(x,2); 인 경우의 펄스폭 (a) 펄스폭의 시간에 따른 평균값	실제로는 PWM의 디지털값이지만, 0~ 5V 사이의 (연속적인)아나로그 신호가 출력되는 효과를 보이게 된다.

그림 8-31 펄스폭변조와 아나로그 출력 효과

아두이노에서는 analogWrite(핀번호, 전압); 함수를 이용함으로써 PWM 신호를 만들어 낼 수 있다.

- **analogWrite(핀번호, 전압);**

- **핀번호** : 아두이노 우노에서는 디지털 핀 쪽에 물결(~) 표시가 있는 3,5,6,9,10,11 번 핀만이 사용 가능.
- **전압** : 이에 해당하는 값으로 0~255 의 정수값을 부여할 수 있다.
  0일때 펄스폭이 거의 없으며, 255일때 펄스폭이 가장 큰 값을 갖는다.

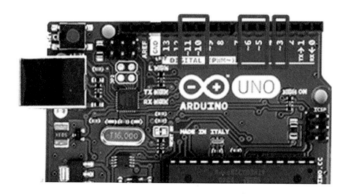

그림 8-32 analogWrite()함수가 적용되어 PWM신호를 발생하는 핀

이러한 PWM 신호의 아나로그적인 효과를 보기 위해 LED의 밝기를 조절해 본다. 그림 8-32에서 붉은 색의 사각형으로 표시한 핀이 PWM 과 관련된 핀이다. 이 중에서 6번 핀을 사용하도록 하며, 그림 8-33과 같이 연결한다.

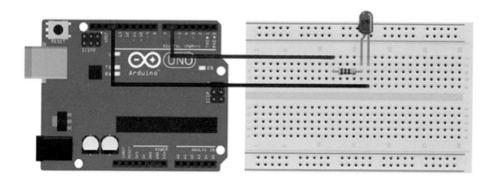

그림 8-33 PWM 신호에 의한 LED 밝기 조절 회로 구성

이제 이에 대한 아두이노 스케치를 다음과 같이 작성한다.

```
void setup() {
  pinMode(6,OUTPUT);    // 디지털 6번 핀을 출력모드로 설정
}
void loop() {
  int i;
  for(i=10;i<255;i=i+1) {  // i 값을 10부터 1씩 증가, 255가 될때까지 다음을 반복
    analogWrite(6,i);       // 6번 핀에, i 값만큼의 폭을 가진 PWM 신호 출력
    delay(100);             // 0.1 초 지연
  }
}
```

LED 값이 PWM 값에 따라, 밝기가 변화되는 모습을 볼 수 있게 된다.

8.4.3 DC 모터

8.4.3에서 보았듯이 DC 모터에도 PWM 신호를 주어 모터의 속도를 제어할 수 있다. 그러나 모터를 구동하기 위해서는 모터 드라이버가 필요하다. 모터에 필요한 전압, 전류를

TB6612 모듈 외형	입출력 신호에 따른 동작						
	Input				Output		
	IN1	IN2	PWM	STBY	OUT1	OUT2	Mode
	H	H	H/L	H	L	L	Short brake
	L	H	H	H	L	H	CCW
	L	H	L	H	L	L	Short brake
	H	L	H	H	H	L	CW
	H	L	L	H	L	L	Short brake
	L	L	H	H	OFF (High impedance)		Stop
	H/L	H/L	H/L	L	OFF (High impedance)		Standby

그림 8-34 TB6612 모듈과 핀

아두이노로는 충분히 공급하기 어렵기 때문이다. 필요한 전압과 전류는 모터마다 다르므로, 모터의 사양을 반드시 확인하고 그에 맞는 모터 드라이버를 선정해야 한다. 본 예제에서는 TB6612FNG 를 사용하기로 한다.

위 모듈은 2개의 모터를 구동시킬 수 있다. 각각은 A, B로 구분되어진다. 하나의 모터가 있고 이를 A 모터로 한다면, 이 모터는 AOUT1, AOUT2 에 연결되고, 아두이노의 AIN1, AIN2, PWMA 신호로 제어된다. 그림 8-3의 우측 표와 같이 연결하여 보면, AIN1 신호가 LOW, AIN2 신호가 HIGH이고 PWMA에 PWM으로 신호를 출력할 경우, 시계 반대 방향으로 PWM에 주어진 만큼의 세기로 회전하게 되고, AIN1 신호가 HIGH, AIN2 신호가 LOW 이고 PWM 으로 신호를 주게되면 시계방향으로 PWM 에 주어진 값 만큼의 세기로 회전하게 된다. 그 외의 경우는 Stop(정지)상태에 놓이게 된다.

이제 그림 8-35와 같이, 회로를 연결한다.

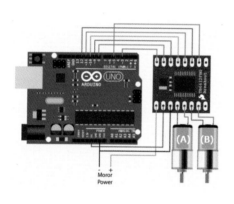

아두이노 보드 핀	TB6612FNG 핀
3	PWMA
9	AIN1
8	AIN2
10	STBY
11	BIN1
12	BIN2
5	PWMB

그림 8-35 2개의 DC 모터를 구동시키기 위한 핀배열과 회로 구성

다음의 경우를 고려하여 스케치를 작성하도록 한다.

① A 모터는 최대 속도의 30% (255×0.3≈76), 시계방향

② ①과 동시에 B 모터는 최대 속도의 70% (255×0.7≈179), 반시계방향

③ 5초 동안 계속 돌아감.(=> 5초간 지연)

④ 2초간 정지 후 다시 ①로 돌아 감.

표 8-7 스케치 핀모드 설정

스케치	동작 내용
```void setup() { pinMode(10,OUTPUT); pinMode(3,OUTPUT); pinMode(9,OUTPUT); pinMode(8,OUTPUT); pinMode(11,OUTPUT); pinMode(12,OUTPUT); pinMode(5,OUTPUT); }```	STBY로 보내지는 10번핀을 출력모드로 설정 PWMA로 보내지는 3번핀을 출력모드로 설정 AIN1으로 보내지는 9번핀을 출력모드로 설정 AIN2로 보내지는 8번핀을 출력모드로 설정 BIN1으로 보내지는 11번핀을 출력모드로 설정 BIN2 로 보내지는 12번핀을 출력모드로 설정 PWMB로 보내지는 5번핀을 출력모드로 설정
```void loop() { digitalWrite(10,HIGH); digitalWrite(9,HIGH); digitalWrite(8,LOW); analogWrite(3,76); digitalWrite(11,LOW); digitalWrite(12,HIGH); analogWrite(5,179); delay(5000); digitalWrite(10,LOW); delay(2000); }```	STBY 로 HIGH신호를 보내어 모터 동작가능 AIN1:HIGH, AIN2:LOW 의 신호를 주어 시계방향으로 돌도록 설정 PWMA 로 30%의 펄스폭이 나오도록 함 BIN1:LOW, BIN2:HIGH 의 신호를 주어 반시계방향으로 돌도록 설정 PWMB 로 70%의 펄스폭이 나오도록 함. 5초간 지연 STBY 로 LOW신호를 보내어 모터 정지 2초간 지연

8.5 센서와 인터페이싱

센서Sensor는 외부에서 발생하는 여러가지 신호와 정보를 알아내는 장치이다. 구체적으로 설명하면, 외부에서 발생하는 신호는 열,빛, 온도, 압력, 소리등의 물리적인 양이나 그 변화 혹은 화학적 변환등을 감지하고 이를 아나로그 신호나 디지털 신호로 변환 시켜주는 장치이다. 이러한 각종의 신호를 아두이노가 제대로 인식하게 하기 위해서는(사실은 모든 마이크로 프로세서에서 정확한 신호를 제대로 주고 받도록 하기위해서는) 적절한 인터페이스Interface 작업이 하드웨어적으로나 소프트웨어적으로 필요하다.

8.5.1 센서

아두이노의 각종 실험. 실습에서 사용되며, 각종 아이디어에 응용되기도 하는 대표적인 센서는 다음과 같다.

(1) 전류/전압센서

로드셀 무게센서	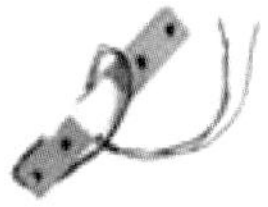	자기장 측정 홀센서 모듈	
전류센서 모듈		비접촉 AC 전류센서	
심장박동 측정센서 모듈		리드 스위치 자기장 센서	
엔코더 센서(회전수 측정)		코일형 전류 센서모듈	
압전센서 FSR		전류 센서 모듈	
피에조 센서		16키 디지털 터치 센서	
전압센서 모듈(전압측정)		로터리형 엔코더 모듈	
전류센서 모듈(전류측정)		정전식 터치센서	
ECG센서(심전도측정)	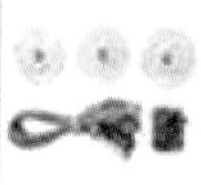		

그림 8-36 전류/전압 센서

(2) 광/영상 센서

적외선 PIR 인체감지 모션센서		조도센서 포토셀 CDS	
cds도센서 모듈		소형 적외선 PIR 인체감지 모션센서	
적외선 수신 센서		RGB 컬러센서	
불꽃 감지 센서 모듈		RGB 색상 감지 센서 모듈	
포토 인터럽터 광전 스위치 센서 모듈		포토 인터럽터 광전 스위치	
5채널 화염감지 센서 모듈			

그림 8-37 광/영상 센서

(3) 대기/환경센서

소리감지 센서		온습도 센서	
적외선 온도센서	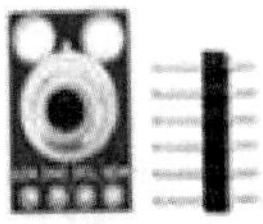	온도센서	

방수 온도센서 프로브	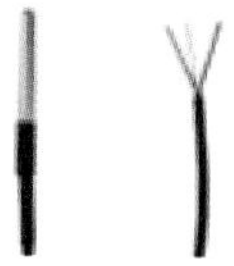	미세먼지 측정센서	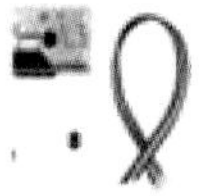
가연성 가스, 연기감지센서		알코올 감지 센서	
메탄(천연가스) 감지센서		LPG,LNG,부탄, 프로판 감지 센서	
일산화탄소(CO) 감지센서		수소가스 감지센서	
대기오염 감지센서		이산화탄소 및 TVOC 공기품질 센서	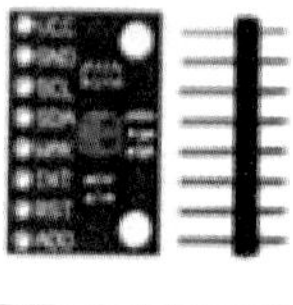
정밀 고도계 대기압 센서	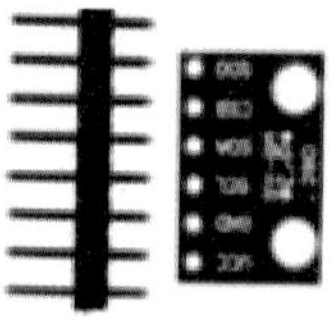	빗물감지 센서	
토양 수분 감지 센서		유량측정 센서	
고성능 수압 센서	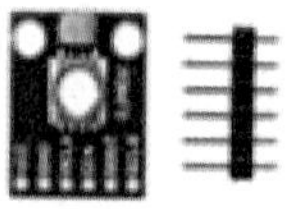		

그림 8-38 대기/환경 센서

(4) 초음파/거리센서

초음파 센서		적외선 IR 송수신 센서 라인트레이서 센서	
적외선 거리측정 센서		적외선 송수신 센서	
라인트레이서		고정밀 ToF 거리측정센서	

그림 8-39 초음파/거리 센서

(5) 속도/자이로 센서

기울기센서 (6축 가속도+자이로)		기울기센서(9축 가속도+ 자이로+지자기)	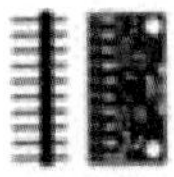
충격센서/ 진동센서 모듈		3축 자이로 센서 모듈	
나침반 3축 자기장 지자기	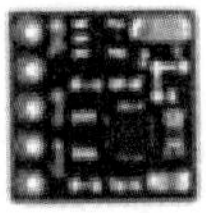	틸트 기울기 센서	

그림 8-40 가속도/자이로 센서

출처 : 센서의종류@아두이노, http://blog.naver.com/jcklee/221288773176

8.5.2 인터페이스 응용 사례

아두이노와 각종 센서간의 통신에 이용(때로는 액츄에이터의 중간 모듈간의 통신에도
이용)되는 중요한 몇몇 인터페이스 통신으로는 시리얼 통신, I2CInter-Integrated Circuit, TWI,
SPISerial Peripheral Interface 그리고 기타 통신 방법이 있다. 각각에 대한 프로그램적 접근은 다
양하게 제공되고 있는 해당 라이브러리Library를 활용하면 쉽게 스케치가 가능하다. 여기에

서는 I2C 의 인터페이스를 제공하는 온도센서와 기타적인 방법으로 인터럽트interrupt를 사용하는 초음파 거리센서의 예, 그리고 블루투스 통신을 적용한 인터페이스 사례를 살펴보도록 한다.

(1) 온도센서

I2C 통신을 적용하고 있는 온도센서로서 스파크펀SparkFun사의 TMP102 를 사례로 살펴보고자 한다.

그림 8-41 TMP102 온도센서

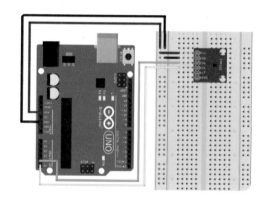

아두이노 보드 핀	TMP102 핀
5V	VCC
GND	GND
A4(SDA)	SDA
A5(SCL)	SCL

그림 8-42 온도센서 회로 구성

회로를 살펴보면 알 수 있듯이, 아두이노와 센서간의 선 연결은 4가닥뿐이다. 그것도 전원 공급을 위한 5V-VCC, GND-GND 연결을 제외하면 오로지 2 라인에 의해 데이터를 주고 받는 것이다.

또 한가지 I2C 통신의 특징은, 아두이노의 A4, A5 핀을 통해, 최대 112개까지 온도센서와 같은 I2C의 모듈을 연결할 수 있다는 것이다. 그리고 각 모듈들은 고유의 주소번지를 갖고 있어서, 이들을 통해 구분된다. 위 TMP102 모듈은 기본적으로 72의 주소번지를 갖고 있다. I2C 모듈을 위한 스케치는 Wire 라이브러리를 이용함으로써 쉽게 작성할 수 있다.

표 8-8 스케치 Wire 라이브러리

스케치	동작 설명
```#include <Wire.h>``` ``` ``` ``` ``` ``` ```	Wire 라이브러리를 사용하기 위한 준비

스케치	동작 설명
`#include <Wire.h>`	Wire 라이브러리를 사용하기 위한 준비
`void setup() {`	
`  Wire.begin();`	Wire 라이브러리 시작
`  Serial.begin(9600);`	시리얼 모니터링을 위한 준비
`}`	
`void loop() {`	
`  Wire.beginTransmission(72);`	온도센서 모듈 주소 72번의 I2C통신 시작
`  Wire.write(0);`	0이라는 값을 온도센서 모듈로 보냄으로써
`  Wire.endTransmission();`	값을 읽어들일 준비를 모듈에게 알림.
`  Wire.requestFrom(72,2);`	센서모듈(72)로 부터 2바이트 데이터요청
`  byte firstByte = Wire.read();`	센서로부터 그 중 첫번째바이트 읽어 보관
`  byte secondByte = Wire.read();`	센서로부터 그 중 두번째바이트 읽어 보관
`  int sum`	첫번째 두번째 데이터를 하나로 묶고, 이를 실제 온도
`    =((int)firstByte<<4)¦(secondByte>>4);`	로 계산하는 과정.
`  float tempValue = sum * 0.0625;`	화면에 "temp: 25" 등과 같이 출력하고자함
`  Serial.print("temp: ");`	
`  Serial.println(tempValue);`	
`  delay(2000);`	2초의 지연
`}`	

(2) 초음파 센서

시리얼 통신과 관련된 라이브러리는 아두이노 스케치 IDE에서 기본적으로 제공되고 있어 Serial.begin(9600); 등과 같이 바로 적용하여 사용할 수 있고, I2C 통신을 적용하는 모듈은, 앞서 본 바와 같이 Wire 등의 라이브러리를 이용하면 된다. 그리고, SPI 통신 또한 SPI 등의 이름으로 주어진 라이브러리를 활용하고 관련된 예제를 활용하면 쉽게 적용할 수 있다. 다만, 예외적인 인터페이스 통신을 하고 있는 센서들이 있는데, 이와 관련된 자료들도 제조사에서 인터넷을 통해 충분히 제공되고 있으므로 이를 적극적으로 활용하면 될 것이다. 본 절에서는 그와 관련된 것으로 저렴한 초음파 센서인 HC-SR04를 살펴보도록 한다.

그림 8-43 HC-SR04 초음파 센서

HC-SR04 라는 초음파 센서를 이용하여 전방에 놓인 장애물의 유무와 거리등을 파악할 수 있다. 그림 8-43을 보면 4개의 연결라인이 있는데, 그 중 VCC, GND 는 전원을 공급하기 위한 것이어서, 나머지 2개의 라인 Trig 와 Echo 에 대해 이해하고 스케치하면 될 듯 싶다.

아두이노 보드 핀	HC-SR04 핀
VCC	VCC
8	Trig
7	Echo
GND	GND

그림 8-44 초음파 센서 회로 구성

초음파 센서는 스피커 혹은 마이크와 같이 생긴 작은 원통형의 센서가 2개 달려 있다. 그 중 하나는 초음파를 발생하는 송신 모듈이고 다른 하나는 초음파를 듣는 수신모듈이다. 아두이노에서 Trig 단자로 신호를 보내면 초음파가 발생되며, 발생된 신호는 정면의 장애물에 반사되어 되돌아오고 이를 수신모듈에 의해 수신되면 Echo 단자로 신호가 나오게 된다. Trig의 신호에서 Echo 로 신호가 나오기까지의 시간을 재면, 거리로 환산할 수 있게 된다.

표 8-9 스케치 Trig, Echo 신호

스케치	내용 설명
```void setup() { Serial.begin(9600); pinMode(8,OUTPUT); pinMode(7,INPUT); } ```	Trig 를 위한 8번 핀을 출력모드로 설정 Echo 를 위한 7번 핀을 입력모드로 설정
```void loop() { digitalWrite(8,HIGH); delayMicroseconds(10); digitalWrite(8,LOW); int distance; distance = pulseIn(7,HIGH)/58; Serial.print("거리 = "); Serial.println(distance); delay(1000); } ```	Trig로 10마이크로초 동안 초음파를 발생하도록 함. pulseIn() 함수를 이용하여, Echo의 단자 번호인 7 을 넣어주면, 수신모듈로 메아리가 들어오기까지의 시간을 잴 수 있음. 이를 거리로 환산하여 distance 의 기억에 담고, 이를 출력하는 명령문임.

(3) 블루투스 통신

지금까지의 각종 응용은 단지 사물의 인식과 제어에 불과하였다. 인터넷으로의 직접적인 접속은 아니지만, 블루투스 모듈을 이용한 통신을 경험하게 되면, 다소나마 사물인터넷에 근접해간다고 말할 수 있는데, 왜냐하면 이러한 통신의 원리가 무선 인터넷에도 그대로 응용될 수 있기 때문이다. 본 과정에서 실험해볼 모듈은 HC-05 이다. 아두이노 우노와 HC-05 모듈 간에는 시리얼 통신을 하게 되고, HC-05 모듈은 다른 블루투스 모듈과의 무선 데이터 송수신 과정을 진행하게 된다. HC-05 모듈 대신에 ESP8266 의 mcu 를 이용하는 ESP-01 모듈로 대체하고 적절한 스케치를 작성하면, 무선 인터넷 환경으로 운용할 수 있어 본격적인 사물인터넷을 경험할 수 있게 될 것이다.

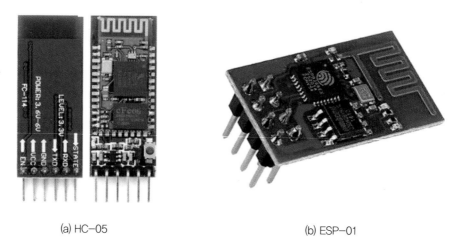

(a) HC-05   (b) ESP-01

그림 8-45 블루투스 모듈 과 무선인터넷 모듈 예

 앞서 언급한 바와 같이, 아두이노와 HC-05 간의 통신은 시리얼 통신이 적용된다. 그런데, 아두이노 우노는 하드웨어적으로 오직 1개만의 시리얼 통신을 지원(디지털 핀 0번,1번이 이에 해당)하며, 이것마저도 프로그램 업로드와 시리얼 모니터를 통한 시리얼 통신에 이용되고 있다. 그렇다면 HC-05와 같이 시리얼 통신을 지원하는 모듈은 아두이노 우노에 더이상 적용이 불가능하다는 이야기인데, 이 경우를 위해, 아두이노 스케치에서는 소프트웨어적으로 시리얼통신이 가능하게 해주는 라이브러리를 제공하고 있다. 이러한 라이브러리의 이용을 위해서는, 헤더파일 SoftwareSerial.h 를 포함시키고, 연결되는 핀번호를 이용해 SoftwareSerial 로 변수를 하나 만든 다음, 이 변수를 이용하여 기존의 Serial 과 동일하게 사용하면 된다.

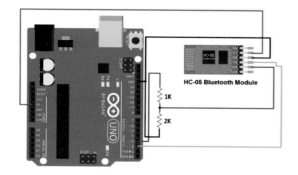

아두이노	HC-05
5V	VCC
3	RXD
2	TXD
GND	GND

그림 8-46 블루투스 모듈 회로 구성

이에 따르는 아두이노 스케치는 다음과 같다.

표 8-10 스케치 SoftwareSerial

스케치	내용 설명
`#include <SoftwareSerial.h>`	소프트웨어적으로 시리얼 통신을 하고자 할때 라이브러리 사용을 위해 반드시 선언
`SoftwareSerial bt(2,3);`	bt 라는 이름으로 SoftwareSerial 의 변수를 만든다. 이때 수신은 2번핀, 송신은 3번핀으로 한다.

`void setup() {`
`  Serial.begin(9600);`
`  bt.begin(9600);`
`}`
	bt 통신을 개시한다. 통신속도는 9600bps로

`void loop() {`
`  if(bt.available()) {`
`    Serial.write(bt.read());`
`  }`
	블루투스 모듈로 데이터가 왔으면
	그 데이터를 읽고 시리얼모니터로 출력

`  if(Serial.available()) {`
`    bt.write(Serial.read());`
`  }`
`}`
	시리얼모니터에 문자입력하고 전송버튼누르면
	시리얼모니터의 문자를 읽어 이를 블루투스 모듈로 출력

위 프로그램을 아두이노에 컴파일하고 업로드하면, 아두이노의 0번 핀과 1번 핀을 통해, 시리얼 통신이 가능해진다. 우선 시리얼모니터를 통해 블루투스를 셋팅한다. 이 작업은 처음 한번만 해주면 된다. 그림과 같이 AT를 입력시킨 후 전송 버튼을 누른다.

그림 8-47 시리얼 모니터를 통한 블루투스 모듈 셋팅 - 1

"OK" 표시가 나오면, 아두이노와 블루투스 모듈간의 통신이 제대로 이루어지고 있다는 표시이다. "OK" 가 확인되었다면, HC-05의 블루투스 모듈이 다른 블루투스들과 구분될 수 있도록 이름을 만들어 준다. 이름을 만들어주는 방법은 "AT+NAME"뒤에 원하는 이름 을 넣어주면 된다. 본 예제에서는 MYHC05 로 해본다.

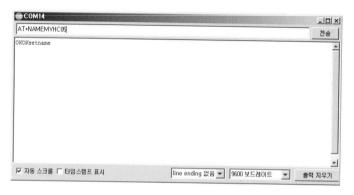

그림 8-48 시리얼 모니터를 통한 블루투스 모듈 셋팅 – 2

"OKsetname"이 나오면 제대로 진행되고 있는 것이다. 같은 방법으로 비밀번호와 통신 속도도 설정할 수 있다. 비밀번호를 1234, 통신속도를 9600bps 로 하고자 한다면, 각각 "AT+PIN1234", "AT+BAUD4" 로 입력하면 된다.

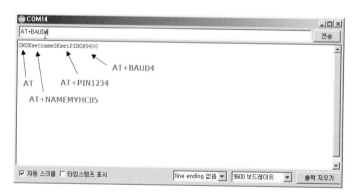

그림 8-49 시리얼 모니터를 통한 블루투스 모듈 셋팅 – 3

이상과 같은 작업은 초기에 한번만 설정해주면 된다. 이제 아두이노에서 문자를 보내고 받을 준비가 되었으니, 이를 스마트폰의 블루투스와 연결하는 방법을 보도록 하자...

스마트 폰에 블루투스 통신을 위한 앱을 설치한다. 구글 플레이에서 Serial Bluetooth Terminal 앱을 다운 받는다. 설치한 후, 앱을 열면 그림 8-50의 (b) 화면이 나타난다.

(a) 구글플레이어 앱 설치

(b) 앱 초기 화면

(c) 디바이스 선택

그림 8-50 블루투스 통신을 위한 스마트폰 설정

그림 (c)에서 (B)가 가리키는 메뉴를 선택하면, 스마트폰으로 연결할 수 있는 블루투스 모듈명들이 그림 8-51(a)와 같이 나타나게 되고 이곳에서 앞서 설정한 MYHC05 를 선택하면, 통신준비가 완료된 것이다. 만일 (C)와 같이 MYHC05의 이름이 나타나지 않는다면, (D)를 클릭하여 블루투스를 스캐닝하고 MYHC05를 등록하는 절차를 거쳐 되돌아 오면 (C)의 이름을 볼 수 있게 된다.

(a) 블루투스 장치 선택

(b) 스마트폰 앱 화면

(c) 아두이노로 부터의 시리얼모니터 출력 화면

그림 8-51 아두이노와 스마트폰 간의 블루투스 통신

연결이 된 상태에서, 시리얼 모니터에 문자열을 입력하고 전송 버튼을 누르면, 스마트폰의 앱 화면에 전송된 문자열이 나타나고, 반대로 스마트폰에서 입력된 문자열은 시리얼 모니터에 나타나게 된다.

8.6 아두이노를 이용한 자율주행 로봇 프로젝트

8.6.1 자율주행로봇

■ 과제

그림 8-52의 구성도를 참고하여 주행로봇을 제작한다.

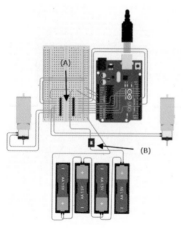

아두이노 보드 핀	TB6612FNG 핀
6	PWMA
9	AIN1
8	AIN2
10	STBY
11	BIN1
12	BIN2
5	PWMB

(a) 회로 구성   (b) 모터 드라이버 핀 연결

그림 8-52 기본적인 주행로봇의 구성

- 그림 8-52에서 (A)는 8.4.3 절에서 사용한 TB6612FNG DC 모터 드라이브 모듈을 사용하는 것으로 한다.
- (B)에 스위치를 두어, 스케치 업로드시에는 OFF 상태로 두었다가, 업로스가 끝나면, (B)의 스위치를 ON으로 하여, 배터리로서 동작되게 한다.
- TB6612의 핀과 아두이노 우노 핀의 연결은 (b)와 같이 한다.
- 8.4.3절의 DC 모터 에 대한 아두이노 스케치를 참고하여, 스위치를 넣으면 전진하는 주행로봇으로 스케치 하시오.
- 스위치를 넣으면, 오른쪽으로 원을 그리며 무한히 주행하는 궤도차로 스케치를 완성하시오.
- 스위치를 넣으면, 왼쪽으로 원을 그리며 무한히 주행하는 궤도차로 스케치를 완성하시오.
- 스위치를 넣으면, 전진하다가 3초 후에 정지하도록 스케치하시오.

8.6.2 장애물 회피 자율주행로봇

■ 과제

그림 8-53의 구성도를 참고하여 주행로봇을 제작한다.

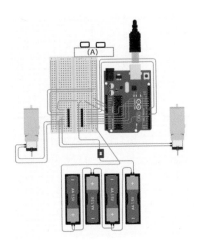

아두이노 보드 핀	HC-SR04 핀
VCC	VCC
13	Trig
7	Echo
GND	GND

(a) 회로 구성   (b) 초음파 센서 핀 연결

그림 8-53 초음파 거리센서가 장착된 주행로봇 구성

- 그림 8-53, (a)에서 (A)의 위치에 초음파 센서 모듈을 부착한다. 초음파 센서 모듈은 8.5.2 (2)에서 실습한 HC-SR04 를 사용하며, 핀은 그림 8-53 (b)와 같이 연결한다.
- 8.5.2 (2)에 주어진 스케치를 이용하여 초음파 센서만을 위한 스케치를 작성하고 올바른 거리측정이 이루어지고 있는지를 확인한다.
- 8.6.2의 주행 프로그램을 이용하되, 전진하다가 장애물이 나타나면 2초간 정지하는 프로그램을 만드시오.
- 앞으로 정지하다가, 장애물이 나타나면, 오른쪽으로 90도 회전한 후, 다시 전진하는 프로그램을 만드시오.

8.6.3 블루투스를 이용한 주행로봇의 조정

■ **과제**

그림 8-54의 구성도를 참고하여 주행로봇을 제작한다.

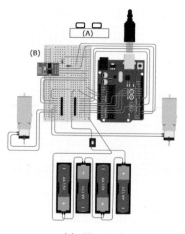

아두이노	HC-05
5V	VCC
3	RXD
2	TXD
GND	GND

(a) 회로 구성   (b) 초음파 센서 핀 연결

그림 8-54 블루투스 통신 장치를 부가한 주행로봇 구성도

- 그림 8-54 (a)와 같이, (A)의 초음파 센서를 장착한 상태에서 블루투스 모듈을 연결한다. 블루투스 모듈은 8.5.2 (3)의 HC-05 를 이용하며, 핀은 그림 8-54 (b)와 같이 연결한다.
- 8.5.2 (3)에서 주어진 스케치를 활용하여 아두이노의 HC-05과 스마트폰 간에 정상적인 통신이 진행되고 있는지를 확인한다.

- 스마트폰의 시리얼 블루투스 통신 앱에서 "F"를 입력하면 주행로봇이 전진하는 등 다음과 같이 동작되도록 스케치하시오.

스마트폰 입력	주행로봇 주행
F	전진
L	왼쪽으로 회전
R	오른쪽으로 회전
B	후진
S	정지

- 주행을 하는 도중이라도 장애물이 나타나면 오른쪽으로 90도 돌도록 하려면 어떻게 스케치 하여야 하는가?

8.6.4 블루투스 장착의 주행로봇을 이용한 원격 온도 측정 장치

■ 과제

그림 8-55의 구성도를 참고하여 주행로봇을 제작한다.

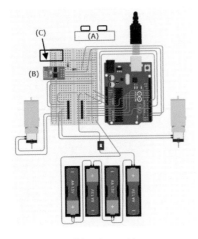

아두이노 보드 핀	TMP102 핀
5V	VCC
GND	GND
A4(SDA)	SDA
A5(SCL)	SCL

(a) 회로 구성　　　　　　　　　　　　(b) 온도센서 핀 연결

그림 8-55 원격의 온도를 측정하여 알려주는 주행로봇

- 이전에 완성된 주행로봇에 그림 8-55 (a) 의 (C) 위치에 온도센서를 부착한다. 온도센서는 8.5.2 (1)에서 학습한 TMP102 를 사용하며 핀 연결은 그림 8-55 (b)와 같다.
- 8.5.2 (1)에서 주어지는 스케치를 활용하여 TMP102 의 동작여부를 확인한다.
- 8.6.3절의 스케치를 활용하여 스마트폰으로 주행하되, 스마트폰에서 "T" 를 입력하면 온도를 읽어 스마트폰의 화면에 보이도록 스케치를 작성하시오.

스마트폰 입력	주행로봇 주행
F	전진
L	왼쪽으로 회전
R	오른쪽으로 회전
B	후진
S	정지
T	온도 읽어 스마트폰 화면표시

EXERCISES

1. 아두이노 스케치 IDE에서 시리얼모니터를 통해 2 개의 값을 입력하면, 그 중 큰 값을 시리얼모니터로 출력해주는 아두이노 스케치를 작성하시오.

2. LED 로 7 세그먼트를 구성하고, 0~9까지 0.5초 간격으로 표시하는 회로를 구성하고, 이에 해당하는 코드를 작성하시오.

3. 적색과 황색의 2개의 LED가 있다. 온도가 30도 이하이면 황색 LED가 켜지고, 30도 이상이면 적색 LED 가 켜지는 프로그램을 작성하시오.

4. 자율 주행 로봇을 통해, 다음이 가능한 하드웨어를 구성하고, 이에 따른 코드를 작성하시오.
   1) 주행 중에, 장애물이 나타나면 90도 좌회전하고 주행을 계속한다. (초음파 센서 이용)
   2) 주행 중, 매 1초 간격으로 측정된 온도 값을 스마트폰으로 전송한다.

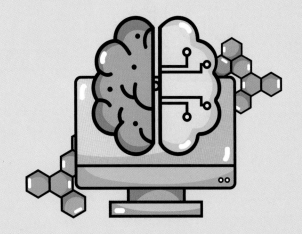

PART 3

프로그램 실무

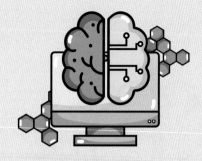

P A R T 3

CHAPTER 9
스크래치 이해

9.1 스크래치 실행하기

스크래치는 컴퓨터에 설치하여 실행하거나 온라인으로 접속하여 프로그램을 사용할 수 있습니다. [만들기 시작하기] 버튼을 누르면 스크래치 프로그래밍 환경으로 들어갑니다. [가입하기] 버튼을 누르면 스크래치 계정을 만들 수 있습니다.

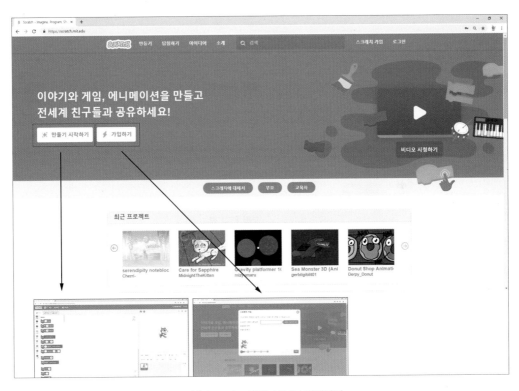

그림 9–1 스크래치 사이트 메인화면

9.2 스크래치 화면구성

스크래치 웹페이지에서 로그인 하고 좌측 상단의 '만들기' 메뉴를 클릭하면 아래 화면이 나타납니다.

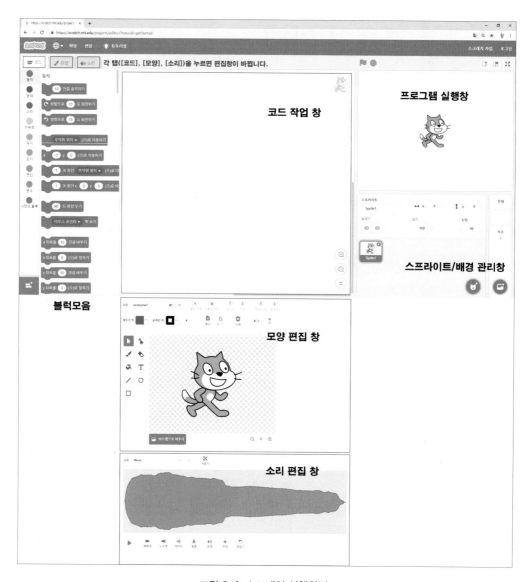

그림 9-2 스크래치 실행화면

■ 블록모음 창

프로그램을 작성하기 위한 블록을 모아둔 저장소입니다. 동작, 형태, 소리, 이벤트, 제어, 감지, 연산, 변수, 나만의 블록 그리고 확장블록이 있습니다.

■ 코드, 모양, 소리 창

좌측상단 코드, 모양, 소리 탭을 누르면 코드 작업 창, 모양 편집 창, 소리 편집 창으로 이동합니다. 코드 작업창은 블록을 이용해서 프로그램을 작성할 수 있습니다. 모양 편집 창은 스프라이트의 모양을 편집 또는 생성할 수 있습니다. 소리 편집 창은 스프라이트에 사용할 소리를 편집 할 수 있습니다.

■ 프로그램 실행 창

프로그램 실행 창에서는 코드 작업 창에서 작성한 스크립트의 실행을 보여줍니다.

■ 스프라이트 / 배경 관리 창

스프라이트 / 배경 관리 창에서는 스프라이트와 배경을 선택, 추가, 삭제할 수 있습니다.

9.3 스크래치 무작정 시작하기

스크래치를 자세히 배우기전에 전 과정의 흐름을 알기위해 무작정 시작해봅니다.

그림 9-3 스크래치 무작정 시작하기

위 화면은 스크래치 무작정 시작하기 최종화면입니다. 고양이가 공원을 산책 합니다. 우측 상단 녹색 깃발을 누르면 고양이는 걷는 동작을 하면서 "산책가자"라고 2초 동안 말합니다. 그리고 키보드 화살표 좌우키를 누르면 왼쪽, 오른쪽으로 이동합니다. 우측 상단 빨간색 둥근 버튼을 누르면 실행이 종료됩니다.

그림 9-4 스크래치 배경 선택하기

화면 우측 하단 배경 고르기를 클릭하여 "Woods"를 선택합니다.

블록 모음 창에서 [이벤트] 탭으로 이동하여 블록을 선택 드레그하여 코드 편집 창에 옮깁니다. 블록 모음 창에서 [형태] 탭으로 이동하여 블록을 선택 드레그하여 코드 편집 창에 옮깁니다. 이 블록에서 "안녕!" 글자를 "산책가자!!"로 변경합니다. 그리고 두 블록을 연결 합니다. 현재 블록의 형태는 이렇게 보입니다. 고양이 스프라이트를 선택 드레그하여 배경에서 길 위에 올려놓습니다. 블록 모음 창에서 [이벤트] 탭을 선택하여 블록을 선택 드레그하여 코드 편집 창에 옮깁니다. 블록의 "스페이스"를 눌러 "왼쪽 화살표"로 변경합니다. 똑같이 반복하여 블록의 "스페이스"를 "오른쪽 화살표" 변경합니다. 블록 모음 창에서 [동작] 탭을 선택하여 블록을 선택 드레그 하여 코드 편집 창 옮깁니다. 왼쪽화살표에는 −10, 오른쪽 화살표에는 10으로 변경하여 블록을 결합합니다. 화면은 현재까지의 블록의 진행과정입니다.

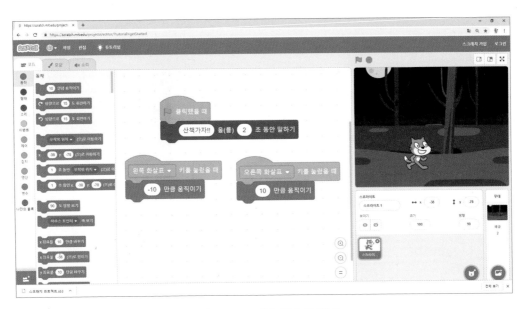

그림 9-5 스크래치 동작 탭 블록1

이제 우측 상단 녹색깃발을 클릭합니다. 그리고 키보드 왼쪽 화살표와 오른쪽 화살표를 클릭해 봅니다. 녹색깃발을 클릭하면 고양이 스프라이트가 "산책가자!!"를 2초동안 말풍선에 나옵니다. 그리고 왼쪽과 오른쪽 화살표 키를 누르면 고양이가 좌, 우로 움직입니다. 그런데 왼쪽화살표를 누르면 고양이가 뒤로 움직입니다. 이 부분을 수정해 봅니다. 블록 모음 창에서 [동작] 탭을 선택하여 `90 도 방향 보기` 블록을 선택하여 "90"도를 "-90"도로 각각 변경하여 끼워 놓습니다. 그리고 "왼쪽화살표 키를 눌렀을 때"의 "-10"만큼 움직이기를 "10"로 변경합니다. 그런데 왼쪽화살표를 누르면 고양이 스프라이트가 뒤집혀서 움직이네요. 이것은 스프라이트의 회전방식이 "회전"으로 되어 있어서입니다. 이것을 "좌우"로 바꾸어 줍니다. 현재까지의 블록의 구조는 다음과 같습니다. 이제 키보드 좌우 화살표 키를 눌러 보면 고양이 스프라이트가 잘 움직입니다.

그림 9-6 스크래치 동작 탭 블록2

하지만 고양이 스프라이트가 걷는 동작이 없습니다. 화면 좌측 상단 [모양탭]으로 이동합니다. 그러면 "코드 작업 창"이 스프라이트 "모양 편집 창"으로 변경됩니다. 이 고양이 스프라이트는 2가지 모양을 가지고 있습니다. 이 2가지 모양이 반복적으로 움직이면 걷는 모습이 됩니다.

그림 9-7 스크래치 모양 편집 창

화면 좌측 상단 [코드]탭을 눌러 코드 작업 창으로 돌아옵니다. 블록 모음 창에서 [제어]

탭을 선택하여 [10 번 반복하기] 블록을 선택하여 코드작업 창에 옮깁니다. 블록 모음 창에

서 [형태]탭을 선택하여 [다음 모양으로 바꾸기] 블록을 선택하여 다음과 같이 블록을 조립합니다.

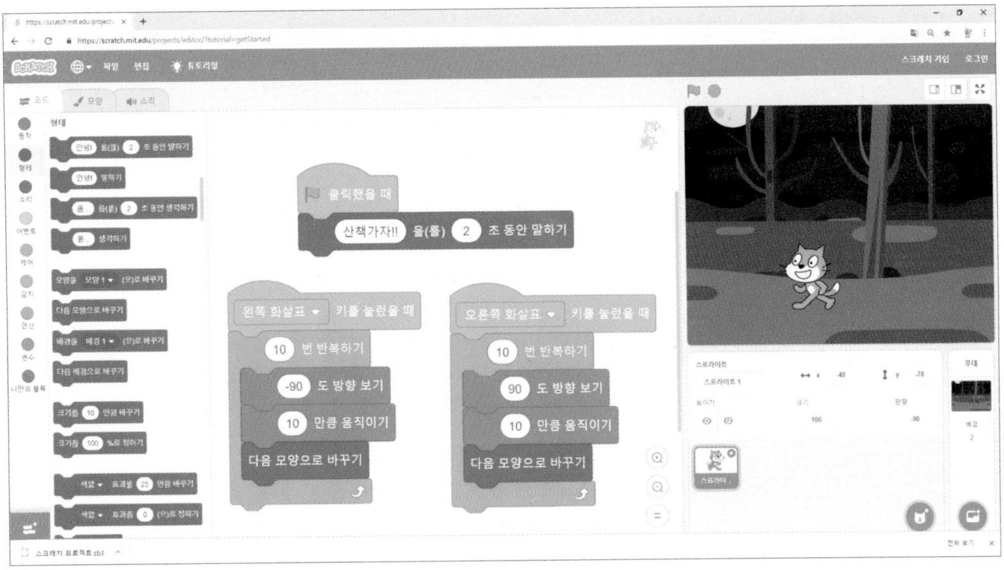

그림 9-8 스크래치 무작정 시작하기 최종 완성

키보드 화살표 키를 움직이면 고양이가 걷는 동작을 하면서 움직입니다.

EXERCISES

1. 스크래치 오프라인에서 설치하시오.

2. 스크래치 회원가입을 하시오.

CHAPTER 10
스크래치 블록의 종류 알아보기

스크래치는 동작, 형태, 소리, 이벤트, 제어, 감지, 연산, 변수, 나만의 블록 그리고 확장 블록이 있습니다. 각각의 블록에 대해 알아봅니다.

10.1 동작 블록

스프라이트는 위치와 방향, 움직임을 표현할 수 있습니다. 이때 사용하는 블록이 동작 블록입니다. [코드] 탭 → [동작] 메뉴에 있습니다.

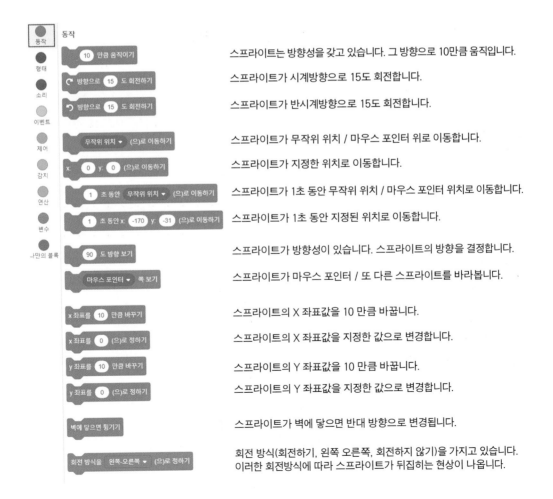

스프라이트는 방향성을 갖고 있습니다. 그 방향으로 10만큼 움직입니다.

스프라이트가 시계방향으로 15도 회전합니다.

스프라이트가 반시계방향으로 15도 회전합니다.

스프라이트가 무작위 위치 / 마우스 포인터 위로 이동합니다.

스프라이트가 지정한 위치로 이동합니다.

스프라이트가 1초 동안 무작위 위치 / 마우스 포인터 위치로 이동합니다.

스프라이트가 1초 동안 지정된 위치로 이동합니다.

스프라이트가 방향성이 있습니다. 스프라이트의 방향을 결정합니다.

스프라이트가 마우스 포인터 / 또 다른 스프라이트를 바라봅니다.

스프라이트의 X 좌표값을 10 만큼 바꿉니다.

스프라이트의 X 좌표값을 지정한 값으로 변경합니다.

스프라이트의 Y 좌표값을 10 만큼 바꿉니다.

스프라이트의 Y 좌표값을 지정한 값으로 변경합니다.

스프라이트가 벽에 닿으면 반대 방향으로 변경됩니다.

회전 방식(회전하기, 왼쪽 오른쪽, 회전하지 않기)을 가지고 있습니다. 이러한 회전방식에 따라 스프라이트가 뒤집히는 현상이 나옵니다.

x 좌표　　　　스프라이트의 X 좌표값 입니다.
y 좌표　　　　스프라이트의 Y 좌표값 입니다.
방향　　　　　스프라이트의 방향값 입니다.

그림 10-1 코드 블록 – 동작

■ **실습**

녹색 깃발을 클릭 했을 때, 고양이 스프라이트가 마우스 포인터를 계속 따라 다닐 수 있도록
코딩 해보세요.

그림 10-2 실습 답

10.2 형태 블록

스프라이트는 형태와 색깔 등을 변경할 수 있습니다. 이때 사용하는 블록이 형태 블록
입니다. [코드] 탭 → [형태] 메뉴에 있습니다.

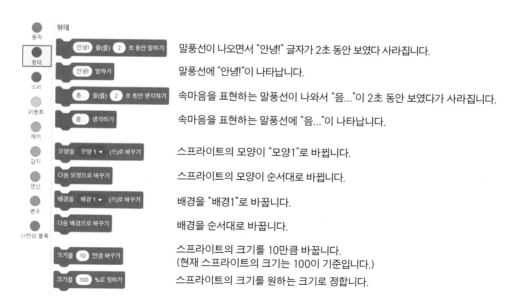

말풍선이 나오면서 "안녕!" 글자가 2초 동안 보였다 사라집니다.

말풍선에 "안녕!"이 나타납니다.

속마음을 표현하는 말풍선이 나와서 "음..."이 2초 동안 보였다가 사라집니다.

속마음을 표현하는 말풍선에 "음..."이 나타납니다.

스프라이트의 모양이 "모양1"로 바뀝니다.

스프라이트의 모양이 순서대로 바뀝니다.

배경을 "배경1"로 바꿉니다.

배경을 순서대로 바꿉니다.

스프라이트의 크기를 10만큼 바꿉니다.
(현재 스프라이트의 크기는 100이 기준입니다.)

스프라이트의 크기를 원하는 크기로 정합니다.

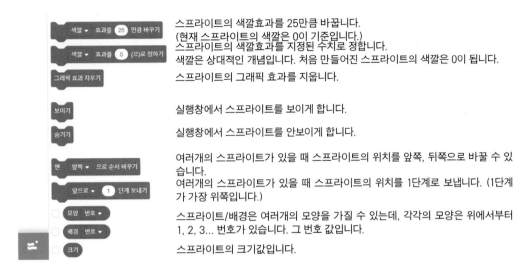

스프라이트의 색깔효과를 25만큼 바꿉니다.
(현재 스프라이트의 색깔은 0이 기준입니다.)
스프라이트의 색깔효과를 지정된 수치로 정합니다.
색깔은 상대적인 개념입니다. 처음 만들어진 스프라이트의 색깔은 0이 됩니다.

스프라이트의 그래픽 효과를 지웁니다.

실행창에서 스프라이트를 보이게 합니다.

실행창에서 스프라이트를 안보이게 합니다.

여러개의 스프라이트가 있을 때 스프라이트의 위치를 앞쪽, 뒤쪽으로 바꿀 수 있습니다.
여러개의 스프라이트가 있을 때 스프라이트의 위치를 1단계로 보냅니다. (1단계가 가장 위쪽입니다.)

스프라이트/배경은 여러개의 모양을 가질 수 있는데, 각각의 모양은 위에서부터 1, 2, 3… 번호가 있습니다. 그 번호 값입니다.

스프라이트의 크기값입니다.

그림 10-3 코드 블록 – 형태3

■ **실습**

녹색 깃발을 누르면 고양이 스프라이트가 "반가워요!!"를 2초동안 말하고 제자리걸음을 할 수 있도록 코딩해보세요.

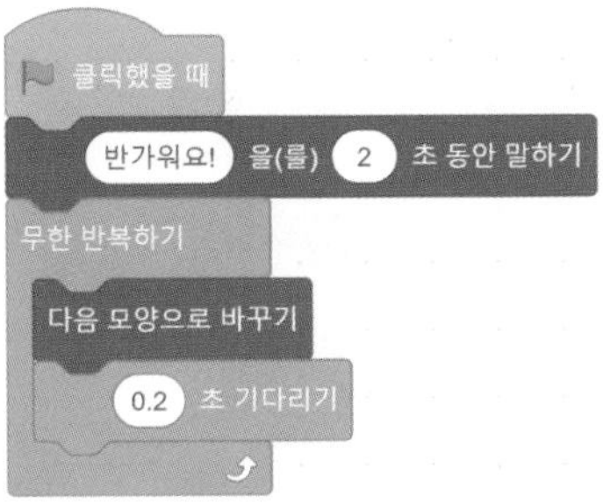

그림 10-4 실습 답

10.3 소리 블록

스프라이트는 소리를 제어할 수 있습니다. 이때 사용하는 블록이 동작 블록입니다. [코드] 탭 → [소리] 메뉴에 있습니다.

그림 10-5 코드 블록 - 소리

■ 실습

녹색깃발을 클릭하면 고양이가 "반가워!!" 하고 2초 동안 말하고 "야옹" 소리를 내고, 좌측에서
우측으로 걸어갑니다.

그림 10-6 실습 답

10.4 이벤트 블록

이벤트 블록을 사용해서 콘텐츠의 시작과 끝을 코딩할 수 있습니다. 또한 키보드를 통
한 스프라이트 제어를 할 수 있습니다. 이때 사용하는 블록이 이벤트 블록입니다. [코드]
탭 → [이벤트] 메뉴에 있습니다.

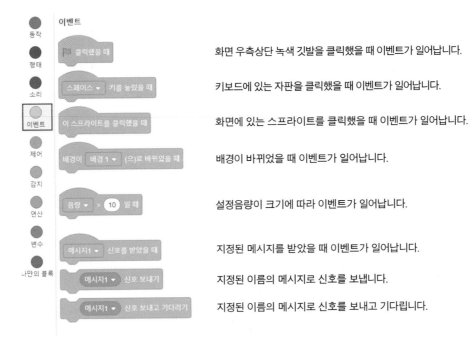

화면 우측상단 녹색 깃발을 클릭했을 때 이벤트가 일어납니다.

키보드에 있는 자판을 클릭했을 때 이벤트가 일어납니다.

화면에 있는 스프라이트를 클릭했을 때 이벤트가 일어납니다.

배경이 바뀌었을 때 이벤트가 일어납니다.

설정음량이 크기에 따라 이벤트가 일어납니다.

지정된 메시지를 받았을 때 이벤트가 일어납니다.

지정된 이름의 메시지로 신호를 보냅니다.

지정된 이름의 메시지로 신호를 보내고 기다립니다.

그림 10-7 코드 블록 - 이벤트

■ **실습**

배경을 3개 만들고, 고양이 스프라이트를 클릭했을 때, 다음배경으로 이동할 수 있도록 코딩
을 해보세요.

메뉴에서 배경을 3개 고릅니다.

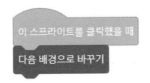

그림 10-8 실습 답

10.5 제어 블록

스프라이트가 반복해서 실행하고, 특정 조건이 참일 경우 실행 할 수 있습니다. 이때 사용하는 블록이 제어 블록입니다. [코드] 탭 → [제어] 메뉴에 있습니다.

스프라이트의 실행을 1초 후에 진행합니다.

이 블록 영역의 내용을 10번 반복 실행합니다.

이 블록 영역의 내용을 무한 방복 실행합니다.

조건이 참이면 이 영역 블록을 실행합니다.

조건이 참이면 이 영역 블록을 실행하고,
거짓이면 "아니면" 영역을 실행합니다.

조건이 충족될 때까지 실행을 멈춥니다.

조건이 충족될 때까지 반복실행 합니다.

모든 / 일부 스프라이트의 실행을 멈춥니다.

스프라이트 복제 후 복제된 스프라이트에 명령을 줍니다.

자신을 복제합니다.

복제본을 삭제합니다.

그림 10-9 코드 블록 - 제어

■ **실습**

녹색깃발을 클릭했을 때, 고양이를 10마리 복제하고, 고양이의 색깔과 위치를 무작이로 선택
배치 해보세요. 스페이스 키를 눌렀을 때 복제본을 모두 삭제해 보세요.

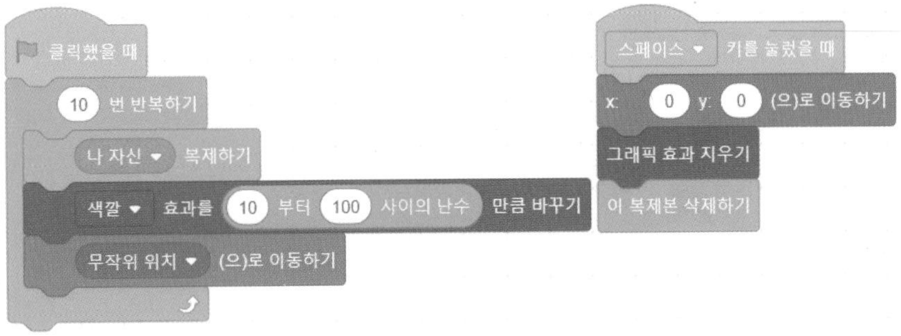

그림 10–10 실습 답

10.6 감지 블록

스프라이트가 마우스 포인터, 색깔, 거리, 특정 키 등을 확인할 수 있습니다. 이때 사용
하는 블록이 감지 블록입니다. [코드] 탭 → [감지] 메뉴에 있습니다.

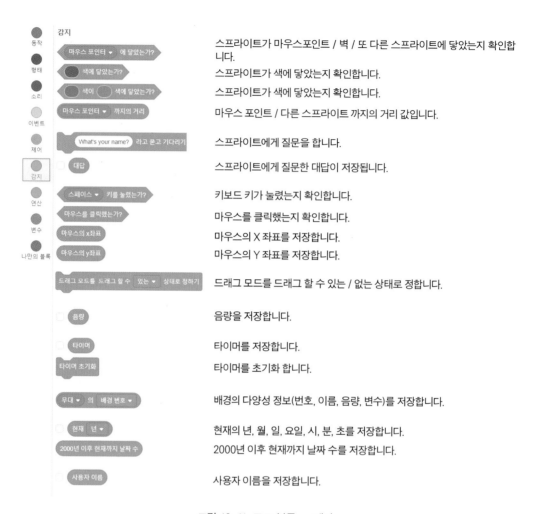

감지

스프라이트가 마우스포인트 / 벽 / 또 다른 스프라이트에 닿았는지 확인합니다.

스프라이트가 색에 닿았는지 확인합니다.

스프라이트가 색에 닿았는지 확인합니다.

마우스 포인트 / 다른 스프라이트 까지의 거리 값입니다.

스프라이트에게 질문을 합니다.

스프라이트에게 질문한 대답이 저장됩니다.

키보드 키가 눌렸는지 확인합니다.

마우스를 클릭했는지 확인합니다.

마우스의 X 좌표를 저장합니다.

마우스의 Y 좌표를 저장합니다.

드래그 모드를 드래그 할 수 있는 / 없는 상태로 정합니다.

음량을 저장합니다.

타이머를 저장합니다.

타이머를 초기화 합니다.

배경의 다양성 정보(번호, 이름, 음량, 변수)를 저장합니다.

현재의 년, 월, 일, 요일, 시, 분, 초를 저장합니다.

2000년 이후 현재까지 날짜 수를 저장합니다.

사용자 이름을 저장합니다.

그림 10-11 코드 블록 – 제어

■ **실습**

고양이가 여러분의 이름을 묻습니다. 만약 대답이 맞다면 "안녕하세요" 인사를 2초동안 말하고, 틀리다면 "누구세요"라고 2초동안 말합니다.

그림 10-12 실습 답

10.7 연산 블록

수에 대해 연산 기능입니다. 이때 사용하는 블록이 연산 블록입니다. [코드] 탭 → [연산] 메뉴에 있습니다.

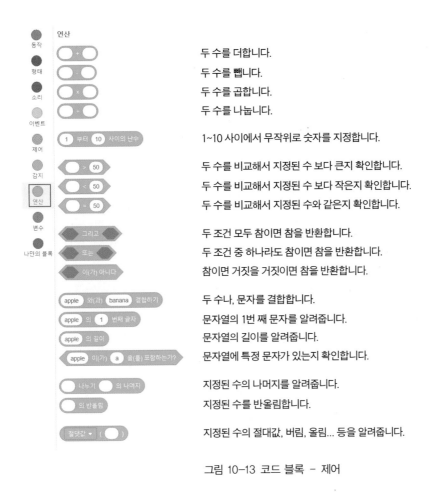

두 수를 더합니다.
두 수를 뺍니다.
두 수를 곱합니다.
두 수를 나눕니다.

1~10 사이에서 무작위로 숫자를 지정합니다.

두 수를 비교해서 지정된 수 보다 큰지 확인합니다.
두 수를 비교해서 지정된 수 보다 작은지 확인합니다.
두 수를 비교해서 지정된 수와 같은지 확인합니다.

두 조건 모두 참이면 참을 반환합니다.
두 조건 중 하나라도 참이면 참을 반환합니다.
참이면 거짓을 거짓이면 참을 반환합니다.

두 수나, 문자를 결합합니다.
문자열의 1번 째 문자를 알려줍니다.
문자열의 길이를 알려줍니다.
문자열에 특정 문자가 있는지 확인합니다.

지정된 수의 나머지를 알려줍니다.
지정된 수를 반올림합니다.

지정된 수의 절대값, 버림, 올림... 등을 알려줍니다.

그림 10-13 코드 블록 - 제어

■ **실습**

스크래치에서는 연산을 할 수 있습니다.

사칙연산 +, −, *, /를 실습해봅니다. 비교연산 〈, 〉, = 을 실습합니다. 이 연산자는 참과 거짓으로 나타납니다. 논리연산 "그리고, 또는, 가(이) 아니다" 을 실습합니다.

다음 결과는 어떻게 될까요?

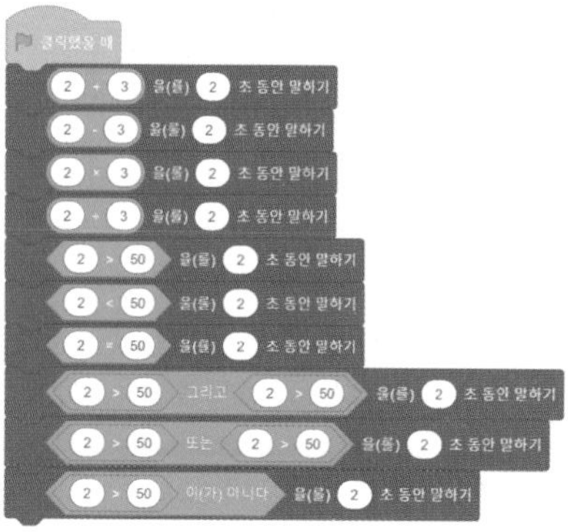

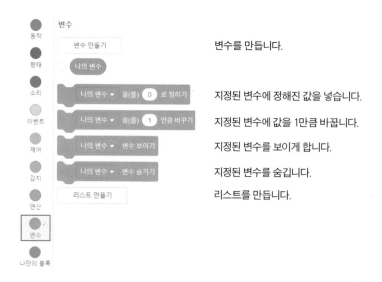

그림 10-14 실습 답

결과는 5, − 1, 6, 0.67, flase, true, flase, flase, flase, true

스크래치는 사칙연산을 할 수 있습니다. 비교연산에서는 결과값이 true, flase로 나타납니다. 논리연산 "그리고"는 두 값이 모두 참이면 "true"이 됩니다. "또는"은 두 값중 하나만 참이면 "true"이 됩니다. "이(가) 아니다" 연산자는 같으면 반대로 결과값이 됩니다.

10.8 변수 블록

변수는 문자, 숫자 등 데이터를 보관하는 장소입니다. 이때 사용하는 블록이 변수블록 입니다. [코드] 탭 → [동작] 메뉴에 있습니다.

동작		
형태	변수 만들기	변수를 만듭니다.
소리	나의 변수	
이벤트	나의 변수 ▼ 을(를) 0 로 정하기	지정된 변수에 정해진 값을 넣습니다.
제어	나의 변수 ▼ 을(를) 1 만큼 바꾸기	지정된 변수에 값을 1만큼 바꿉니다.
감지	나의 변수 ▼ 변수 보이기	지정된 변수를 보이게 합니다.
연산	나의 변수 ▼ 변수 숨기기	지정된 변수를 숨깁니다.
변수	리스트 만들기	리스트를 만듭니다.
나만의 블록		

그림 10-15 코드 블록 – 변수

변수 만들기를 누르면 새로운 변수를 만들 수 있습니다. 변수이름은 자유롭게 정할 수 있습니다.

■ **실습**

변수를 만들어 봅니다. 다음 블록은 어떤 결과가 나올까요?

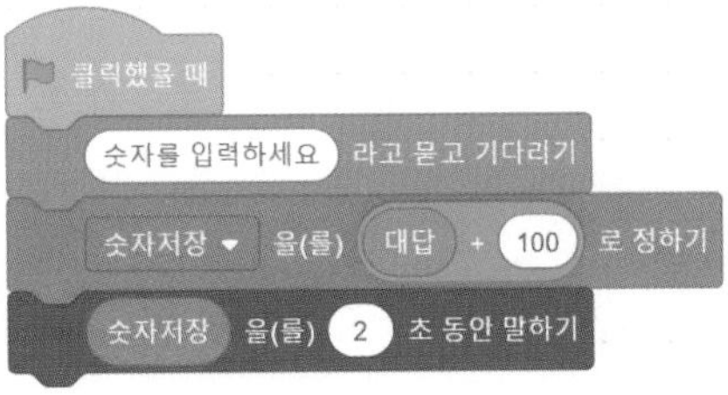

그림 10-16 실습 답

"숫자를 입력하세요" 블록에 숫자를 입력하면, 그 결과값과 100을 더해서 "숫자저장"변수에 입력하게 됩니다. 그리고 "숫자저장"의 값을 2초 동안 말하게 됩니다.

10.9 나만의 블록

스프라이트는 위치와 방향, 움직임을 표현할 수 있습니다. 이때 사용하는 블록이 동작 블록입니다. [코드] 탭 → [동작] 메뉴에 있습니다.

동작

형태

소리

이벤트

제어

감지

연산

변수

나만의 블록

나만의 블록
블록 만들기

나만의 블록을 만듭니다.

그림 10-17 코드 블록 - 나만의 블록

10.10 확장 블록

스크래치는 다양한 확장 블록이 있습니다. 음악을 만들 수 도 있고, 팬을 이용해 그림을 그릴 수 도 있습니다. 비디오 감지에 관련된 블록도 있습니다. 스크래치가 숙련되면 다양한 블록을 사용해 보세요. 블록 모음 탭 좌측 하단 아이콘을 클릭하면 나타납니다. [코드] 탭 → [확장기능 추가하기] 메뉴에 있습니다. 이번 장에서는 음악과 팬에 관해 알아보도록 하겠습니다.

그림 10-18 확장블록

(1) 확장블록 - 음악

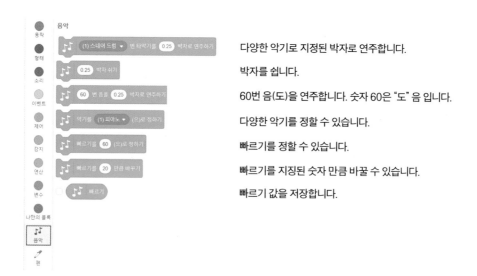

다양한 악기로 지정된 박자로 연주합니다.

박자를 쉽니다.

60번 음(도)을 연주합니다. 숫자 60은 "도" 음 입니다.

다양한 악기를 정할 수 있습니다.

빠르기를 정할 수 있습니다.

빠르기를 지정된 숫자 만큼 바꿀 수 있습니다.

빠르기 값을 저장합니다.

그림 10-19 확장블록 - 음악

■ **실습**

확장 블록을 이용하여 산토끼 노래를 만들어 봅시다.

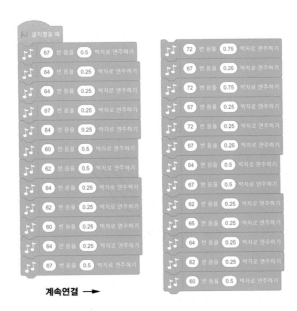

계속연결 ➡

그림 10-20 실습 답

(2) 확장블록 – 펜

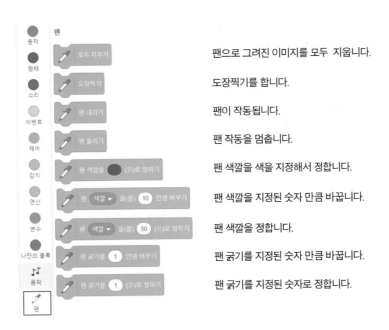

펜으로 그려진 이미지를 모두 지웁니다.

도장찍기를 합니다.

펜이 작동됩니다.

펜 작동을 멈춥니다.

펜 색깔을 색을 지정해서 정합니다.

펜 색깔을 지정된 숫자 만큼 바꿉니다.

펜 색깔을 정합니다.

펜 굵기를 지정된 숫자 만큼 바꿉니다.

펜 굵기를 지정된 숫자로 정합니다.

그림 10-21 확장블록 – 펜

■ **실습**

확장 블록 팬 기능을 이용해서 낙서장을 만들어 봅시다. 녹색 깃발을 클릭하면 팬의 크기를
50% 정하고, 팬이 마우스 포인터를 따라 다닙니다. 그리고 "스페이스" 키를 누르면 팬이 나오
고, 아니면 팬이 나오지 않습니다. "d" 키를 누르면 모두 지워집니다.

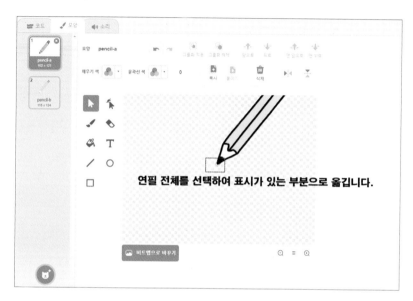

그림 10-22 실습 답

스프라이트 고르기에서 팬을 선택합니다. 팬 스프라이트에서 모양 탭으로 가서 팬의 위
치를 그림과 같이 옮겨줍니다. 그러면 연필 끝에서 팬이 써집니다.

코드 탭에서 다음과 같이 블록을 작성합니다.

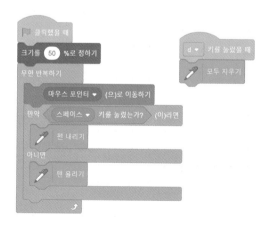

그림 10-23 실습 답

EXERCISES

1. 녹색 깃발을 클릭 했을 때, 고양이 스프라이트가 연속해서 좌, 우로 움직일 수 있도록 코딩하시오.

2. 녹색 깃발을 클릭 했을 때, 고양이 스프라이트가 연속해서 다양한 색으로 변경 할 수 있도록 코딩하시오.

3. 스크래치는 다양한 확장블록이 있습니다. 이 블록들에 대해 사용해 보시오.

CHAPTER 11

스크래치 프로젝트

11.1 해변에서 게가 비치볼 놀기

해변에서 게가 비치볼을 가지고 놉니다. 비치볼은 다양한 각도로 밑으로 내려 옵니다. 게는 좌우로 움직일 수 있습니다. 비치볼이 게와 닿으면 팅겨나가고, 하단 갈색 바에 닿으면 멈춥니다.

그림 11-1 해변에서 게가 비치볼 놀기 문제

11.1.1 만들기

스프라이트 / 배경 편집 창에서 배경 고르기를 선택해 해변이미지를 불러 옵니다. 배경 편집 창에서 그림과 같이 갈색 사각형을 만들어 줍니다. 이 부분은 비치볼이 닿으면 게임이 멈추게 됩니다. 스프라이트 / 배경 편집 창에서 스프라이트 게와 비치볼을 가져 옵니다. 게와 비치볼의 크기를 적당히 조절합니다. 좌우 화살표 키를 눌렀을 때 게가 움직일 수 있도록 블록을 만들어 줍니다. 게 스프라이트의 코드는 다음과 같습니다.

그림 11-2 해변에서 게가 비치볼 놀기 답

비치볼 스프라이트의 위치를 (0, 180)으로 정합니다. 비치볼의 방향을 0~360를 무작이로 볼 수 있도록 난수값을 줍니다. 비치볼은 난수값에 의해 정해진 방향으로 움직일 수 있도록 블록을 만들어 줍니다. 벽에 닿으면 팅길수 있도록 블록을 만들고, 배경하단 갈색에 닿으면 게임이 멈추게 합니다. 게에 닿으면 소리를 재생하고, 반대 방향으로 무작이 하게 움직일 수 있도록 코딩을 합니다. 게에 닿아 팅길 때 빨리 움직일 수 있도록, 움직임을 크게 줍니다. 다음은 비치볼 스프라이트의 코드 블록입니다.

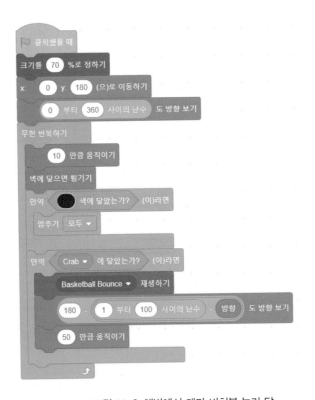

그림 11-3 해변에서 게가 비치볼 놀기 답

11.2 두더지 달리기 경주

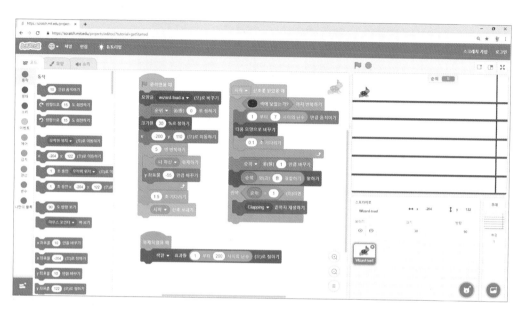

그림 11-4 두더지 달리기 경주 문제

두더지가 경주를 합니다. 누가 이길까요? 녹색 깃발을 누르면 함성소리와 함께 두더지가 출발선상에서 경주를 합니다. 두더지들은 열심히 결승점을 향에 달려갑니다. 빨간 라인에 도착한 두더지는 등수가 나오고, 축하 함성이 울립니다.

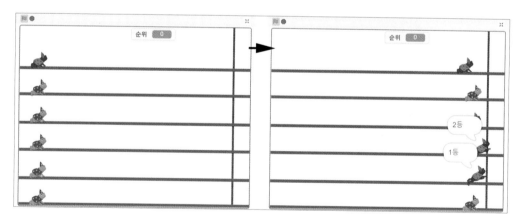

그림 11-5 두더지 달리기 경주 문제

11.2.1 만들기

스프라이트 / 배경 관리창 우측 하단 "스프라이트 고르기"를 눌러 두더지 스프라이트를
불러옵니다. 스프라이트 / 배경 관리창 우측 배경을 클릭하고 배경 편집에 들어가서 결과
화면과 같이 배경을 그립니다. 결승선은 빨강색으로 그립니다. 배경의 소리 탭에 들어가서
프로그램에 필요한 소리를 선택합니다. 배경에 코드 편집모드로 들어가서 다음과 같이 블
록을 만듭니다.

그림 11-6 두더지 달리기 경주 답

두더지 스프라이트를 클릭합니다. 두더지 스프라이트의 코드 탭에서 다음과 같이 코드
를 작성합니다. 두더지의 크기가 커서 크기를 30% 정도로 정합니다. 두더지의 최초 위치
를 (−200, 110)으로 정합니다. 5번 반복해서 두더지를 복제합니다. 복제할 때 Y위치값을
−55 만큼 바꾸기를 하면 두더지가 일렬로 쭉 복제가 됩니다. 복제할 때 두더지의 색을 무
작이로 선택하기위해 색깔효과를 무작이로 정합니다. "신호보내기" 블록을 이용해서 방송
을 합니다. 신호를 받았을 때 빨간 결승선에 두더지가 닿을 때까지 반복하기를 합니다. 각
각의 두더지의 빠르기를 다르게 하기위해 난수 값을 넣어 움직입니다. 순위를 정하기 위해
"순위"라는 변수를 만들어 초기화 시키고, 가장 먼저 도착한 두더지 순으로 등수가 나오도
록 합니다.

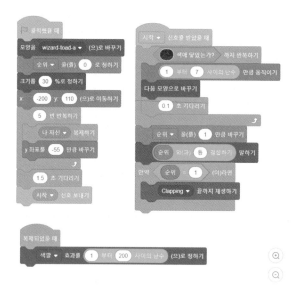

그림 11-7 두더지 달리기 경주 답

11.3 야구하기

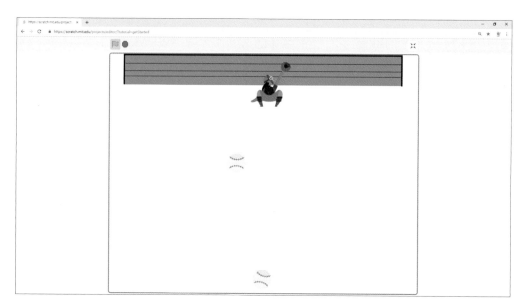

그림 11-8 야구하기 문제

야구를 합니다. 사방으로 날라 오는 야구공을 잡으면 점수가 올라갑니다. 야구공은 총 10개가 던져집니다.

11.3.1 만들기

스프라이트 배경 편집 창에서 "Catcher"와 "야구공"을 가져옵니다. 스프라이트 배경 편집 창에서 배경편집모드로 들어가서 "Chatcher" 뒤에 그림처럼 배경을 그려줍니다. 좌우 화살표 키를 누르면 포수 스프라이트는 좌우로 움직일 수 있습니다. 좌측과 우측에 따라 포수의 이미지를 바꾸어 줍니다. 포수 스프라이트 코드 블록은 다음과 같습니다.

그림 11-9 야구하기 답

야구공 스프라이트는 중앙 하단에서 포수 쪽으로 날라 갑니다. 점수변수를 만들어 초기화 하고, 처음 위치를 (0, −160)위치에 놓습니다. 야구공이 10개가 나와야 하기에 10번 반복하기 블록으로 야구공을 복제합니다. 복제 되었을 때, 야구공이 사방으로 날라 갈 수 있도록 "회전하기" 블록에 난수 값을 넣습니다. 야구공이 벽에 닿으면 복제본을 사라지게 하고, 포수에 닿으면 "pop" 소리를 재생하고, 점수변수에 점수를 1만큼 바꾸어 줍니다. 그리고 복제본을 삭제합니다. 야구공 스프라이트의 코드는 다음과 같습니다.

그림 11-10 야구하기 답

11.4 상어 물고기 잡기

녹색 깃발을 클릭하면 아래 그림과 같이 상어와 물고기가 있습니다. 키보드 화살표 좌우상하 키로 상어를 움직일 수 있습니다. 상어는 물고기를 잡으러 갑니다. 물고기 근처에 가면 물고기는 상어를 피해 도망칩니다. 상어와 물고기가 접촉하면 상어가 먹는 소리를 냅니다.

그림 11-11 상어 물고기 잡기 문제

11.4.1 만들기

▪ 물고기 블록

녹색깃발을 클릭하면 물고기와 상어크기를 적당히 조절합니다. 무한반복 블록에 물고기와 상어의 거리를 측정해서 일정거리 안으로 물고기와 상어가 들어오면 물고기는 도망칩니다. 물고기와 상어의 거리가 일정거리 밖에 있으면 물고기는 움직이지 않습니다.

상어는 키보드 좌우상아 키로 움직일 수 있습니다. 상어의 방향을 결정해서 상어는 그 방향으로 이동할 수 있습니다. 물고기와 접촉하게 되면 "bite"소리가 재생되고, "얌얌"하고 말합니다.

배경에서는 녹색깃발이 클릭되면 "bubbles"소리가 반복적으로 재생됩니다.

블록의 형태는 다음과 같습니다.

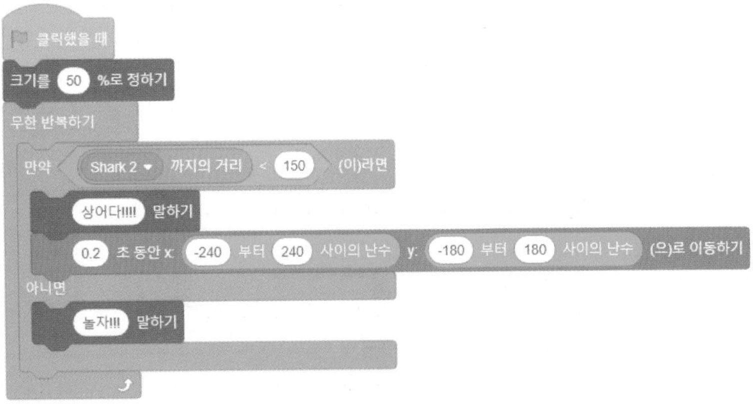

그림 11-12 상어 물고기 잡기 – 물고기 블록 답

그림 11-13 상어 물고기 잡기 – 배경블록 답

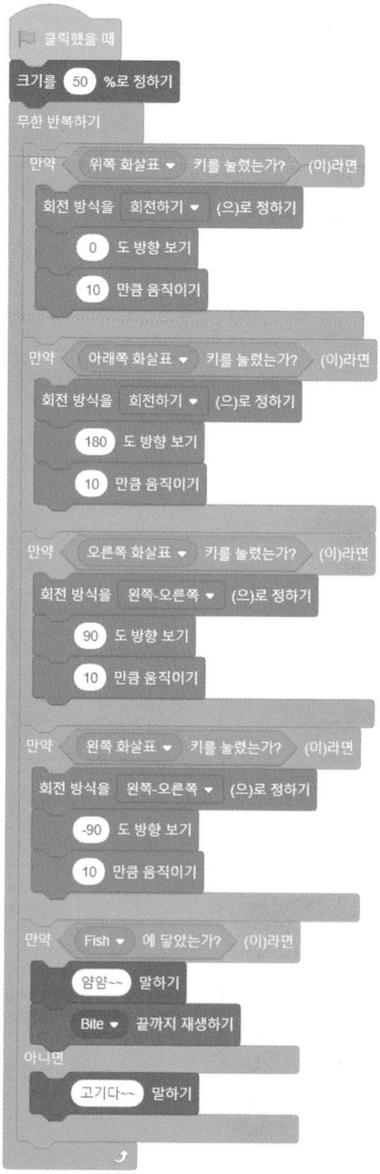

그림 11-14 상어 물고기 잡기 – 상어 블록 답

EXERCISES

1. 녹색깃발을 클릭했을 때, 나비 3마리가 속도가 다르게 마우스 커서를 따라 다닐 수 있도록 작성하시오.

2. 녹색 깃발을 클릭했을 때, 다양한 색의 사과가 있고 게가 있습니다. 사과를 클릭하면 게의 색이 사과의 색과 같아지고, 아래로 떨어지게 작성하시오.

3. 다음과 같은 이벤트를 수행하도록 작성하시오.
   1) 녹색깃발을 클릭했을 때, 벌레가 마우스를 따라 다닙니다.
   2) 방향키 중 아래쪽 화살표를 누르면 팬이 나오고, 위쪽 화살표를 누르면 팬이 멈춰집니다.
   3) 방향키 중 왼쪽, 오른쪽 화살표를 누르면 팬 굵기 바뀝니다.
   4) D키를 누르면 화면이 모두 지워 집니다.
   5) 벌레를 클릭하면 벌레가 복제 됩니다.

CHAPTER 12
파이썬 프로그램 이해

12.1 프로그램 이해

12.1.1 프로그래밍이란

컴퓨터가 수행할 수식이나 명령어를 알맞도록 순서를 정하고 컴퓨터 명령코드로 고쳐 쓰는 작업을 프로그래밍programming이라 하며, 컴퓨터의 명령 코드를 쓰는 작업을 코딩coding 이라고도 한다. 컴퓨터가 수행할 명령 문서를 프로그램이라 하고 프로그래밍 언어를 사용 해 소프트웨어나 앱을 만드는 사람을 프로그래머programmer라 한다.

프로그래머   코딩   소프트웨어

그림 12-1 소프트웨어 제작 과정

12.1.2 프로그래밍 종류

프로그래밍 언어로는 파이썬python, JAVA, JSP, PHP, ASP, R, C, C++등 다양하게 있으 며, 그 중에 파이썬은 간결하고 생산성 높은 프로그래밍 언어로 최근에 많은 인기 있는 언 어이다.

그림 12-2 파이썬 로고

12.2 파이썬

12.2.1 파이썬 소개

파이썬은 네덜란드 개발자 귀도 반 로섬Guido van Rossum이 만든 언어로 입문자가 이해하기 쉬운 인터프리터Interpreter 언어로, 생산성이 뛰어나며 다양한 분야에 활용할 수 있다. 이 외에도 파이썬은 머신러닝, 그래픽, 웹 개발 등 여러 업계에서 선호하는 언어로 꾸준히 성장하고 있다.

그림 12-3 파이썬 창시자 귀도 반 로섬

12.2.2 설치파일 다운로드

파이썬 설치는 윈도우, 유닉스, 리눅스, 메킨토시 등 다양한 환경에서 가능하다. 여기서는 윈도우 10에서 64bit용 컴퓨터 환경에서 설치 방법에 대해 알아본다.

http://www.python.org/에 접속하여 [Download] 메뉴 선택 후에 등장하는 화면에서 [Windows] 메뉴를 선택한다.

그림 12-4 파이썬 다운로드

윈도우 버전 선택에서 [Download Windows x86-64 web-based installer] 메뉴를 클릭 후 실행 또는 저장한다. 실행은 즉시 설치가 가능하고 저장은 다운로드 한 후에 설치를 한다

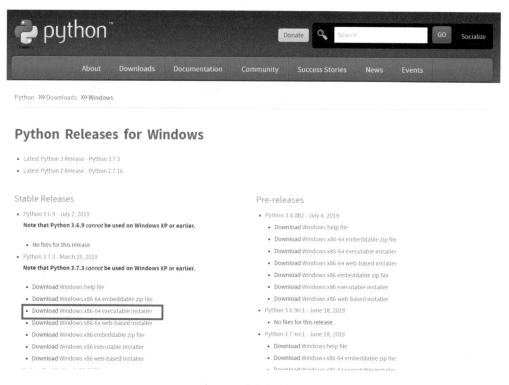

그림 12-5 파이썬 다운로드

12.2.3 파이썬 설치

http://www.python.org/에서 다운로드한 파일(python-3.7.3-amd64.exe) 더블클릭한 후에 등장하는 창에서 [Install Now] 메뉴를 선택한다.

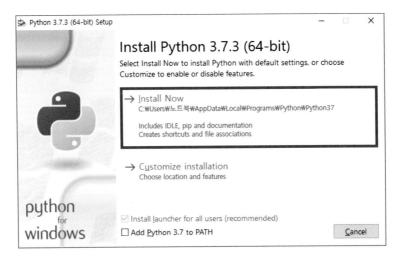

그림 12-6 파이썬 설치

설치가 진행된다.

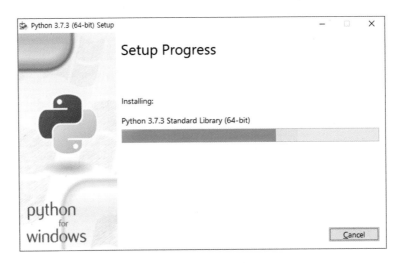

그림 12-7 파이썬 설치

[Close]를 클릭하면 설치가 끝나고 종료 된다.

그림 12-8 파이썬 설치

12.3 파이썬 시작

12.3.1 파이썬 실행

윈도우에서 [시작] 버튼을 누르고 [Python 3.7]-[IDLE(Python 3.7 64-bit)] 메뉴 선택한다.

그림 12-9 IDLE 실행

실행된 IDLEIntegrated Development and Learning Environment는 파이썬 프로그램 코딩을 도와주
는 통합 개발 환경으로 파이썬을 설치하면 기본으로 설치되는 프로그램이다.

파이썬 프로그램을 코딩하기 위한 통합 개발 환경에는 대화형 모드와 스크립트 모드가
있다. 초기 환경설정으로 되어있는 대화형 모드를 열기 위해 윈도우에서 [시작] 버튼을 누
르고 [Python 3.7]-[IDLE(Python 3.7 64-bit)] 메뉴 선택한다.

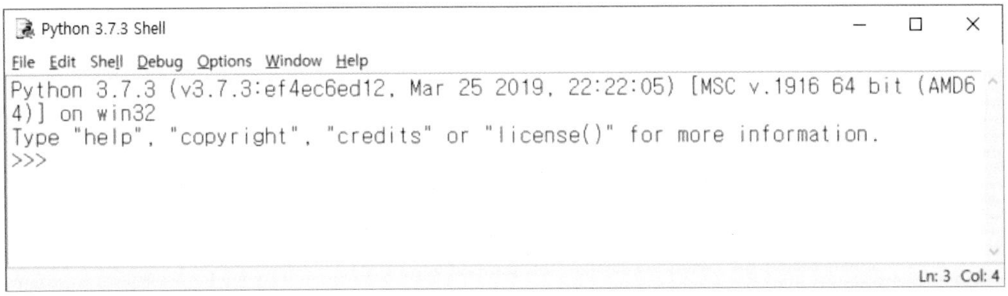

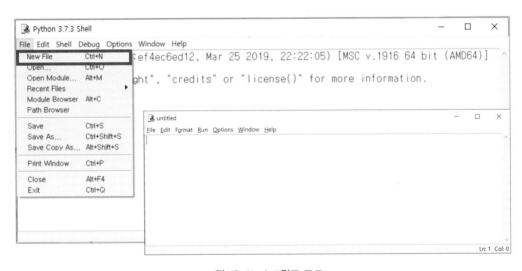

그림 12-10 대화형 모드

대화형 모드에서 [File]/ [New File] 메뉴 선택하면 스크립트 모드 창이 등장한다.

그림 12-11 스크립트 모드

대화형 모드와 스크립트 모드는 환경설정에서 초기 실행모드를 선택할 수가 있다. 간단
하고 짧은 코드는 대화형 모드에서 작성하는 것이 좋고 긴 문장은 스크립트모드에서 작성
하는 것이 편한다. 본 교재에서 기본 실습은 가능하면 대화형 모드에서 작성하는 것으로
한다.

12.3.2 파이썬 코드 맛보기

파이썬 대화형 모드인 셸Shell에서는 명령 프롬프트Prompt인 〉〉〉 뒤에 print("안녕하세요
^^. 홍길동입니다.") 명령어를 입력하고 [Enter]를 누르면 실행 결과가 다음 줄 화면에 출
력된다. 이때 주의할 점은 "안녕하세요^^. 홍길동입니다."의 양 옆에 문자라는 의미로 큰
다옴표(" ") 또는 작은다옴표(' ')로 묶어야 한다. 본 교재에서는 큰다옴표(" ")를 사용을 원
칙으로 한다.

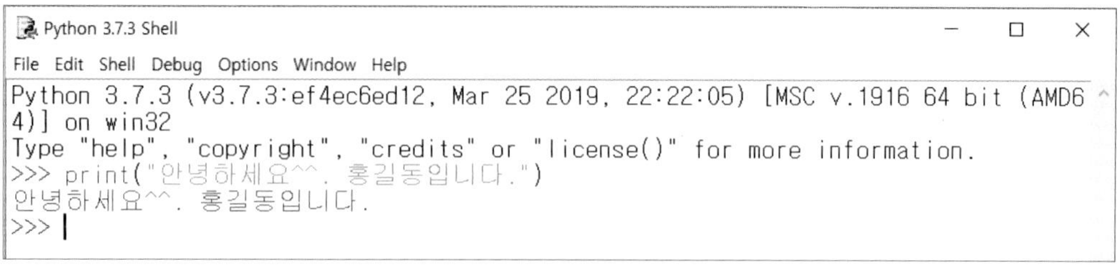

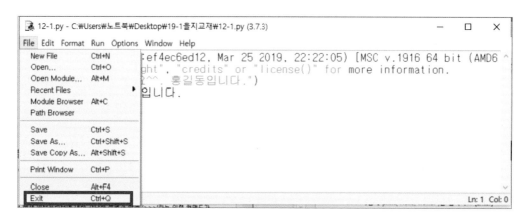

그림 12-12 파이썬 시작하기

IDLE의 대화형 모드의 종료는 [File]-[Exit]메뉴를 선택한다.

그림 12-13 파이썬 종료하기

이번에는 새로 대화형 모드를 열고 파이썬 명령 프롬프트인 〉〉〉 뒤에 12345*12345-
12345 숫자를 입력하고 [Enter]를 누르면 실행 결과의 계산 값이 화면에 출력된다. 이때
주의할 점은 앞서 실습한 글자와는 달리 숫자로 인식하기 위해서는 숫자의 양 옆에 큰다
옴표(" ")로 묶지 않아야 한다.

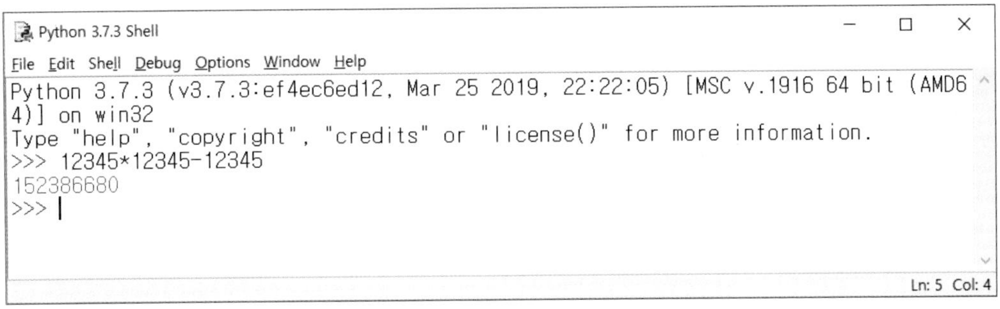

```
Python 3.7.3 Shell                                    —    □    ×
File  Edit  Shell  Debug  Options  Window  Help
Python 3.7.3 (v3.7.3:ef4ec6ed12, Mar 25 2019, 22:22:05) [MSC v.1916 64 bit (AMD6
4)] on win32
Type "help", "copyright", "credits" or "license()" for more information.
>>> 12345*12345-12345
152386680
>>> |
                                                              Ln: 5  Col: 4
```

그림 12-14 파이썬 실습

12.3.3 print( ) 함수

print( ) 함수는 ()의 값을 출력하는 함수이다. 다음 구문은 따옴표(" ") 안의 내용을 출력한다는 의미로 실행하면 '안녕하세요! 홍길동입니다.'가 나온다.

>>> print("안녕하세요! 홍길동입니다.")

안녕하세요! 홍길동입니다.

괄호( ) 안의 내용을 따옴표 사용안하면 숫자의 의미로 '12345'가 나온다.

>>> print(12345)

12345

만약 괄호(" ") 안의 내용을 따옴표 사용하면 문자인 '12345'가 된다.

>>> print("12345")

12345

괄호( )에 숫자로 '2+3'을 하면 출력결과는 다음과 같다.

>>> print(2+3)

> 5

print( ) 사용안하고 '2+3'을 해도 출력결과는 앞과 같다.

>>> 2+3

> 5

만약 괄호(" ") 안의 내용을 따옴표 사용하면 문자로 인식되어 '2+3'이 그대로 출력된다.

>>> print("2+3")

> 2+3

▪ 실습예제 1

스크립트 모드에서 실습을 해보자. 윈도우에서 [시작] / [Python 3.7]─[IDLE(Python 3.7 64-bit)] 대화형 모드 창이 등장하면 [File]/ [New File] 메뉴 선택한다. 스크립트 모드가 등장하면 아래의 실습 코드를 작성한다.

```
print("="*60)
print("홍길동"*10)
print("="*60)
```

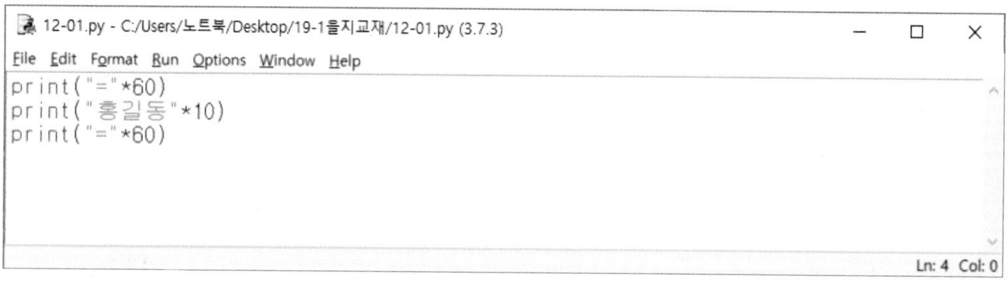

그림 12-15 스크립트 모드

스크립트 모드에서 [Run]/ [Run Module] 메뉴 또는 단축기 'F5'를 선택한다.

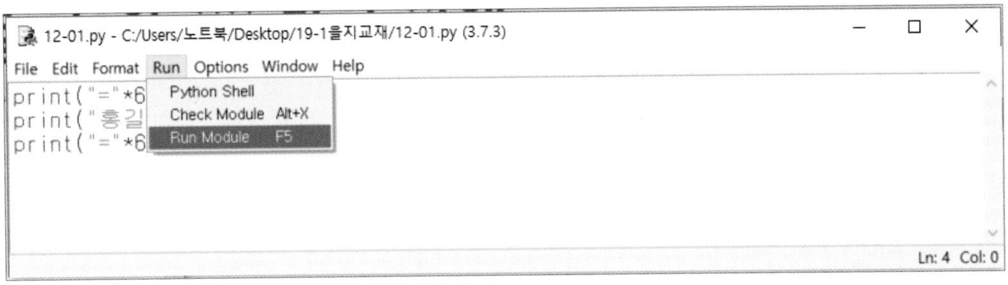

그림 12-16 대화형 모드

실습 결과가 대화형 모드에 등장한다.

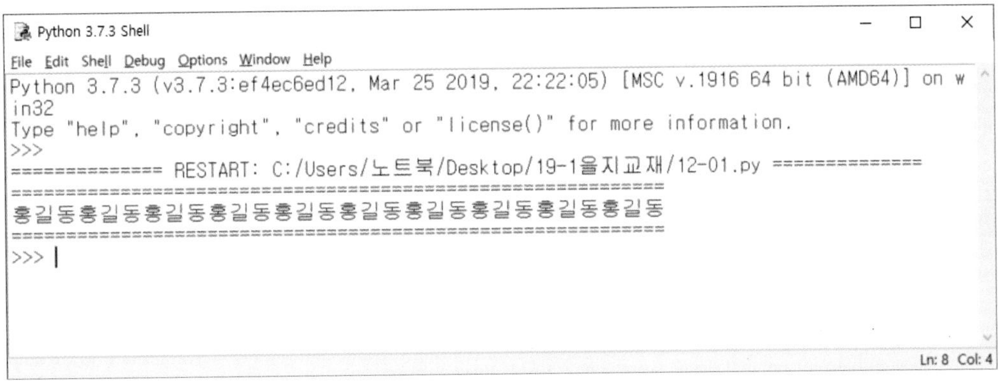

그림 12-17 대화형 모드 결과

파일 저장시에는 스크립트 모드에서 [File] / [Save] 메뉴 또는 단축기 'Ctrl+S'를 선택하면 하면 된다.

EXERCISES

1. 파이썬 개발을 위한 통합 개발 환경을 구축하시오

2. IDLE에 대하여 설명하시오.

3. 파이썬에서 실행할 수 있는 실행모드에 대하여 설명하시오.

4. print()함수 내에서 사용되는 ' '와 " "의 차이를 설명하시오.

5. 스크립트 모드를 이용해서 "Hello!"를 화면에 10번을 출력하고 프로그램을 저장하시오.

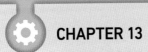

CHAPTER 13

파이썬 프로그램 예제

13.1 파이썬의 변수

13.1.1 변수의 이해

"변수Variable"의 의미는 값을 저장하는 그릇으로 메모리 저장 공간에 데이터를 저장하고, 꺼내고, 사용하는 용도로 프로그래머가 직접 만들 수 있다. 파이썬은 C/C++, 자바 등과는 달리 변수를 선언하지 않아도 데이터 종류에 따라 자동으로 인식한다. 변수의 값은 변수 그릇에 정수, 실수, 문자 등 다양한 데이터형이 저장 될 수 있다. 그리고 변수의 값은 기존의 데이터 값이 있는 그릇에 새로운 값이 입력하면 새로운 값으로 변경된다.

그림 13-1 변수, 변수의 값과 변수의 이름

13.1.2 변수선언

파이썬는 C나 자바처럼 반드시 변수선언을 하지 않아도 되지만 가능하면 변수선언 후에 변수를 사용한다. 변수선언의 규칙은 '변수이름', 대입연산자인 '='과 '변수값'으로 표기한다.

```
변수이름 = 변수값
예) a=10
```

예를 들면 'a'라는 변수 이름이고 '10'은 변수의 값은 다음과 같이 표기한다.

>>> a=10

예를 들면 'b'라는 변수 이름이고 '안녕하세요'는 변수의 값은 다음과 같이 표기한다.

>>> b="안녕하세요

선언변수의 이름은 가능하면 의미 있는 이름을 사용하고 한글이름이 사용가능하나 알파벳 중심으로 사용한다. 알파벳 사용 시 소문자와 대문자가 서로 다르게 취급되며 구성은 영문자와 숫자, 밑줄( )로 이루어진다. 변수의 이름 중간에는 공백이 들어가면 안 되며 단어를 밑줄( )을 사용하여 구분한다. 그리고 두 단어 조합으로 이름 작성시에는 변수의 첫 글자는 소문자로, 나머지 단어 의 첫 글자는 대문자로 적는 방법을 권장한다. 예를 들면, myBook처럼 첫 'm'은 소문자로, 나머지 단어의 첫 글자는 대문자'B'로 표기하면 다른 사용자가 변수이름이라는 의미로 쉽게 이해를 할 수 있다.

```
>>> a=2
>>> b=3
>>> a+b
```

```
5
```

```
>>> myBook="심청전"
>>> myBook
```

```
'심청전'
```

13.1.3 변수의 데이터형

데이터의 형의 종류는 정수Integer, 실수Floating, 불린Boolean, 문자String 등이 있다. 데이터 값이 어떤 데이터 형인지를 알아보는 함수로 type()이 있다.

변수선언 a=123으로 하고 type(a)로 입력 후, [Enter]키를 누르면 출력결과는 '〈class 'int'〉'로 정수형이라는 의미로 다음과 같이 나온다.

```
>>> a=123
>>> type(a)
```

```
<class 'int'>
```

변수선언 a=123.456으로 하고 type(a)로 입력 후 [Enter]키를 누르면 출력결과는 '〈class 'float'〉'으로 실수형이라는 의미로 다음과 같이 나온다.

```
>>> a=123.456
>>> type(a)
```

```
<class 'float'>
```

변수선언 a="True"로 하고   type(a)로 입력 후 [Enter]키를 누르면 출력결과는 〈class 'bool'〉으로 참과 거짓을 구분하는 불린형이라는 의미로 다음과 같이 나온다.

```
>>> a=True
>>> type(a)
```

```
<class 'bool'>
```

변수선언 a="홍길동"으로 하고 type(a)로 입력 후 [Enter]키를 누르면 출력결과는 〈class 'str'〉으로 문자형이라는 의미로 다음과 같이 나온다.

```
>>> a="홍길동"
>>> type(a)
```

```
<class 'str'>
```

(1) 정수형

정수형은 자연수를 포함해 값의 영역이 정수로 한정된 값을 말한다. 정수와 실수 데이터 형은 사칙 연산 +, −, *, /를 수행할 수 있다. 그리고 한 줄의 프롬프트에 두 줄의 문장을 사용하고자 하면 한 문장 끝에 세미클롬Semicolon(;)을 사용 후에 다음 문장을 작성하면 된다. 파이썬에서는 데이터를 변수 선언을 하지 않으면 변수에 넣은 값이 데이터형이 된다.

```
>>> a=4; b=2
>>> a+b, a-b, a*b
```

```
(6, 2, 8)
```

(2) 실수형

정수 뒤에 소수점이 포함된 값을 말한다. 실수의 결과 값을 얻기 위해 변수a와 b를 실수 값으로 지정 하였다.

```
>>> a=10.00; b=20.00
>>> a+b, a-b, a*b, a/b, a%b
```

```
(30.0, -10.0, 200.0, 0.5, 10.0)
```

(3) 불린형

논리형으로 참True 또는 거짓False을 표현할 때 사용한다. 불린형은 어떤 값들에 대해 비교의 결과를 참이나 거짓으로 저장하는 데 사용될 수도 있다.

```
>>> a=(2<3)
>>> b=(2>3)
>>> a, b
```

```
(True, False)
```

(4) 문자형

문자로 출력되는 데이터형을 말한다. 두 개의 문자데이터의 변수 또는 문자끼리 연결연산자인 '+'를 사용하면 문장이 연결된다.

```
>>> a="대한"; b="민국"
>>> a+b
```

'대한민국'

13.1.4 print( ) 함수에 사용되는 서식

다음 구문은 따옴표(" ") 안의 내용을 출력한다는 의미로 실행하면 '안녕하세요'가 나온다. 서식은 앞에 %가 붙고 %s는 문자열을 의미한다.

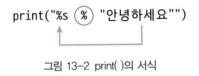

그림 13-2 print( )의 서식

>>> print("%s" % "안녕하세요")

안녕하세요

다음 구문은 따옴표(" ") 안의 내용을 출력한다는 의미로 실행하면 '100'이 나온다. 서식은 앞에 %가 붙고 %d는 정수를 의미한다.

>>> print("%d" % 100)

100

다음 구문을 실행하면 두 개의 값'100'과 '200'이 나온다. 서식은 앞에 %가 붙고 %d는 문자를 의미한다.

>>> print("%d,%d" % (100,200))

100,200

다음 구문을 실행하면 세 개의 값'100', '200'과 0.500000이 나온다. 서식은 앞에 %가 붙고 %f는 실수를 의미한다.

```
>>> print("%d/%d=%f" % (100,200,0.5))
```

```
100/200=0.500000
```

print( ) 함수를 사용할 수 있는 서식은 다음과 같다.

표 13-1 print( ) 함수를 사용할 수 있는 서식

서식	설명	예
%d	10진수의 정수	2, 3, 100, 200 등
%f	소수점이 있는 실수	2.0, 3.01, 0.1, 3.14 등
%c	한 글자	a, 국 등
%s	두 글자 이상의 무장	"안녕하세요", "대한민국", "score" 등

13.1.5 input( ) 함수에서 문자열 입력 받기

문자열은 문자들이 모인 것을 말하며 문자열을 입력받아 변수에 저장이 가능하다. 다음 명령어를 대화형 모드에 작성하자.

```
>>> name = input("자신의 이름을 입력하세요: ")
```

```
자신의 이름을 입력하세요: 홍길동
```

다음 명령어를 대화형 모드에 차례대로 작성하자.

```
>>> name = input("자신의 이름을 입력하세요: ")
```

```
자신의 이름을 입력하세요: 홍길동
```

```
>>> print(name,"씨, 안녕하세요")
```

```
자신의 이름을 입력하세요: 홍길동
```

■ **실습예제 1**

자신에 대해 기본적인 정보를 빠르게 작성하는 '자기소개서' 프로그램을 만들어보자.

변수이름(name, address, school, major, year)과 함수(input(), print())를 사용하여 아래의 결과를 작성하라. 사용자의 대답을 변수에 저장하고 변수와 문자열을 연결하여 소개서를 작성하는 프로그램을 작성해 보자.

```
이름이 무엇입니까? 창수
어디에 살고 있습니까? 서울
어느 대학에 다닙니까? 한국대학교
전공이 무엇입니까? 컴퓨터공학
몇 학년 입니까? 3
==========================================
나의 이름은 창수입니다.
나는 서울에 살고 한국대학교에 다니고 있습니다.
전공은 컴퓨터공학이고  3학년 학생입니다.
==========================================
```

```python
# 사용자의 대답을 변수에 저장한다.
name = input("이름이 무었입니까?")
address = input("어디에 삽니까?")
school = input("어느 대학에 다닙니까?")
major = input("전공이 무엇입니까?")
year = input("몇 학년 입니까?")

# 변수와 문자열을 연결하여 기사를 작성한다.
print("")
print("==========================================")
print("나의 이름은" name"입니다.")
print("나는" address"에 살고" major"에 다니고 있습니다.")
print("전공은 " major"이고" year"학년 학생입니다.")
print("==========================================")
```

13.2 파이썬의 연산자

13.2.1 산술연산자

연산은 덧셈, 뺄셈, 곱셈, 나눗셈, 나머지(+, −, *, / ,%)등이 있다.

표 13-2 산술연산자의 종류

연산자	의미	사용 예	결과
+	더하기	5+2	7(두 수의 더한 값)
−	빼기	5-2	3(두 수의 뺀 값)
*	곱하기	5*2	10(두 수의 곱한 값)
/	나누기	5/2	2.5(두 수의 나눈 값)
//	나누기(몫)	5//2	2(나눈 후 소수점 이하를 버린 몫)
%	나머지	5%2	1(나눈 후 나머지 값)
**	제곱	5**2	25(두 수의 제곱 값)

정수 a와 b값에 대해 다양한 연산자의 결과 값이다.

```
>>> a=5;  b=2
>>> a+b, a-b, a*b, a/b, a//b, a%b, a**b,
```

```
 (7, 3, 10, 2.5, 2, 1, 2)
```

연산식 중에서 연산자의 적용 순서를 정하는 규칙으로 덧셈과 뺄셈이 곱셈과 나눗셈이 같이 있으면 곱셈 또는 나눗셈이 먼저 계산된다. 그리고 괄호가 있으면 가장 우선이고 덧셈 또는 뺄셈이 끼리 있거나 곱셈 또는 나눗셈이 끼리 있으면 왼쪽에서 오른쪽으로 순으로 연산을 한다.

```
>>> a, b, c=100, 200, 300
>>> a+b*c, (a+b)*c, a-b*c, (a-b)*c
```

```
(60100, 90000, -59900, -30000)
```

(3) 문자와 숫자의 상호변화

문자열을 숫자로 변환 방법은 int(), float()로 사용해서 정수 또는 실수로 바꿀 수 있다. 문자를 정수로 변환 전과 변환 후의 결과 값이다.

```
>>> a, b, c="100", "200", "300"
>>> a+b+c
```

```
'100200300'
```

```
>>> a, b, c="100", "200", "300"
>>> int(a)+int(b)+int(c)
```

```
600
```

숫자를 문자열로 바꾸고자 할 때는 str() 함수를 사용한다. 문자를 정수로 변환 전과 변환 후의 결과 값이다.

```
>>> a, b, c=100, 200, 300
>>> a+b+c
```

```
600
```

```
>>> a, b, c=100, 200, 300
>>> str(a)+str(b)+str(c)
```

```
'100200300'
```

13.2.2 관계연산자

파이썬에는 ==(같다), !=(다르다), 〉(크다), 〈(작다), 〉=(크거나 같다), 〈=(작거나 같다) 관계연산자가 있다. 조건문(if), 반복문(while)을 제대로 사용하기 위해서는 관계연산자와 논리연산자의 이해가 필수이다. 관계연산자는 True와 False의 값을 리턴 한다.

표 13-3 관계연산자의 종류

연산자	의미	결과
==	같다	두 값이 같다.
!=	같지 않다	두 값이 같지 않다.
〉	크다	왼쪽의 값이 크다.
〈	작다	왼쪽의 값이 작다.
〉=	크거나 같다	왼쪽의 값이 크거나 같다.
〈=	작거나 같다	왼쪽의 값이 작거나 같다.

```
>>> a, b=2,3
>>> a==b, a!=b, a>b, a<b, a>=b, a<=b

(False, True, False, True, False, True)
```

13.2.3 논리연산자

파이썬 논리연산자에는 and(그리고), or(또는), not(부정)이 세가지 종류가 있으며 주로 여러 가지 복합하여 사용한다. 논리연산자도 관계연산자와 마찬가지로 True와 False의 값을 리턴 한다.

표 13-4 논리연산자의 종류

연산자	의미	사용 예	결과
and(그리고)	~이고 그리고	둘 다 참이면 참	(a〉2) and(a〉5)
or(또는)	~이거나 또는	둘 중 하나만 참이면 참	(a==2) or(a==5)
not(부정)	~아니다 부정	거꾸로	not(a〈2)

```
>>> a=3
>>> (a>2) and (a>5)
```

> False

```
>>> a=3
>>> (a==2) or (a==5)
```

> False

```
>>> a=3
>>> not(a<2)
```

> True

■ 실습예제 1

스크립트 모드에서 화씨온도를 통해서 섭씨온도로 바꾸는 프로그램을 작성해보자.

공식: C=(F−32)*5.0/9.0

```
f_temp = int(input("화씨온도: "))
c_temp = (f_temp-32.0)*5.0/9.0

print("섭씨온도:", c_temp)
```

> 화씨온도: 55
> 섭씨온도: 12.777777777777779

■ **실습예제 2**

거스름돈을 받는 프로그램을 작성해보자. 물건 판매자로부터 손님이 최소한의 잔돈 개수를 계산하여 출력한다. 물건 값은 10원 단위라고 가정하고 판매자는 동전 500원, 100원, 10원짜리만 가지고 있다고 가정하자.

```python
money = int(input("지불한 돈: "))
price = int(input("물건 값: "))

cha = money-price
print("거스름돈: ", cha)
c500s = cha // 500
cha = cha % 500
c100s = cha // 100
cha = cha % 100
c10s = cha // 10

print("500원 동전 수: ", c500s)
print("100원 동전 수: ", c100s)
print("10원 동전 수: ", c10s)
```

```
지불한 돈: 10000
물건 값: 7550
거스름돈:  2450
500원 동전 수:  4
100원 동전 수:  4
10원 동전 수:  5
```

13.3 파이썬의 조건문

13.3.1 기본 if 문

파이썬의 if문은 조건문으로 if문 뒤에 조건식이 특정 조건을 만족할 때 코드가 실행된다.

```
if 조건식 :
    조건식의 결과가 참(true)일때 실행
```

파이썬의 if문의 형식은 다음과 같다.

$$\underline{if} \quad \underline{a > 5} \quad \underline{:}$$

if문   조건식   문장 종료

그림 13-3 if문의 형식

스크립트모드에서 아래 소스를 작성하자.

```
a=10

if a > 5 :
    print("5보다 크네요")

print("끝입니다")
```

```
5보다 크네요
끝입니다
```

조건문 작성 시 주의 사항은 if 문 뒤에는 참과 거짓을 구별할 수 있는 조건식이 들어가야 하고, 조건식이 끝나면 반드시 콜론(:)을 붙여야 한다. 다음 문장은 스페이스 바Space Bar를 눌러 4칸 정도로 들여쓰기를 권장하며 사용하여 해당 조건이 참일때 수행할 명령을 작성한다. if의 조건이 거짓일 경우 해당 조건이 실행하지 않는다.

13.3.2 if-else 문

if-else 문은 조건문으로 if 문 뒤에 조건식이 특정 조건을 만족할 때 코드가 실행되고 아니면 else문으로 넘어간다.

```
if 조건식 :
    조건식의 결과가 참(true)일때만 실행
else :
    조건식의 결과가 거짓(false)일때만 실행
```

스크립트모드에서 아래 소스를 작성하자.

```
a=10

if a < 5 :
    print("5보다 크네요")
else :
    print("5보다 작네요")

print("끝입니다")
```

```
5보다 작네요
끝입니다
```

if 문의 조건이 거짓일 경우 else 문이 수행된다. else문은 생략해도 상관없다. 만약 조건에 해당하지 않는 경우에 따로 처리해야 한다면 else 문을 넣으면 된다.

13.3.3 중첩 if문

(1) if 문 내부의 if 문

중첩 if 문은 하나의 조건문이 조건문 내부에 중첩될 수 있다.

```
if 조건식 :
    if 조건식 :
        두 번의 if문 뒤에 조건식의 결과가 참(true)일때만 실행
    else :
        if 문 속에 if문 조건식의 결과가 거짓(false)일때만 실행
else :
    먼저 등장하는 if 조건식의 결과가 거짓(false)일때만 실행
```

스크립트모드에서 아래 소스를 작성하자.

```
a=10

if a > 5 :
    if a < 20 :
        print("20보다 작네요")
    else :
        print("20보다도 크네요")
else :
    print("5보다 작네요")

print("끝입니다")
```

```
20보다 작네요
끝입니다
```

먼저 등장하는 if 문의 조건이 거짓일 경우 곧장 else 문이 수행된다.

(2) if, elif, else

중첩 if 문은 하나의 조건문 속에 계속적으로 내부에 중첩해서 사용할 수 있다. 아래와 같이 if 문 속에 계속된 if-else 문장은 복잡하게 보이므로 elif 문으로 줄여서 표현이 가능하다.

```
if 조건식 :
    if 조건식 :
    else :
        if 조건식 :
        else :
            if 조건식 :
            else :
```

```
if 조건식 :
elif 조건식 :
elif 조건식 :
elif 조건식 :
else :
```

스크립트모드에서 아래 소스를 작성하자.

```
num=int(input("0부터 9사이의 숫자를 입력하세요:"))

if num >=8:
    print("8보다 크네요")
else:
    if num>=7:
        print("7보다 같거나 작네요")
    else:
        if num>=6:
            print("6보다 같거나 작네요")
        else:
            if num>=5:
                print("5보다는 같거나 작네요")
```

명령프롬프트에 숫자 6을 입력해 보자.

```
0부터 9사이의 정수를 입력하세요:6
6보다 같거나 작네요
```

앞선 문장과 같은 elif를 사용한 소스를 작성해 보자.

```
num=int(input("0부터 9사이의 정수를 입력하세요:"))

if num >=8:
    print("8보다 크네요")
elif num>=7:
        print("7보다 같거나 작네요")
elif num>=6:
        print("6보다 같거나 작네요")
else :
        print("5보다 같거나 작네요")
```

명령프롬프트에 숫자 6을 입력해 보자.

```
0부터 9사이의 정수를 입력하세요:6
6보다 같거나 작네요
```

두 예제가 같은 결과 값을 만드는 문장이나 elif를 사용한 문장이 간결하다.

■ 실습예제 1

입력된 점수가 70점 이상이면 합격이고, 70점 미만이면 불합격인 프로그램을 작성해 보자.

```
num = int(input("성적을 입력하시오: "))
if num >= 70:
        print("합격입니다.")
else:
        print("불합격입니다.")
```

```
성적을 입력하시오: 80
합격입니다.
```

■ **실습예제 2**

입력된 자연수가 짝수와 홀수 출력되는 프로그램을 작성해 보자.

```
num = int(input("자연수를 입력하시오: "))
if num % 2 == 0 :
        print("짝수입니다.")
else:
        print("홀수입니다.")
```

```
자연수를 입력하시오: 3
홀수입니다.
```

■ **실습예제 3**

아래는 윤년을 판단하는 조건이다. 조건을 사용하여 입력된 연도가 윤년인지 아닌지를 출력되는 프로그램을 작성해 보자.

```
입력 연도가 4로 나누어 나머지가 0이면 윤년이다.
100으로 나누어 나머지가 0인 연도는 제외한다.
400으로 나누어 나머지가 0인 연도는 윤년이다.
```

```
num = int(input("해당 연도를 입력하시오: "))
if ( (num % 4 ==0 and year % 100 != 0) or num % 400 == 0):
        print(num, "년은 윤년입니다.")
else :
        print(num, "년은 윤년이 아닙니다.")
```

```
해당 연도를 입력하시오: 2222
2222 년은 윤년이 아닙니다.
```

■ **실습예제 4**

중첩 if-else문을 사용하여 입력된 정수가 양수, 0과 음수로 구분하는 프로그램을 작성해 보자.

```
num = int(input("정수를 입력하시오: "))
if num >= 0:
        if num == 0:
                print("0입니다.")
        else:
                print("양수입니다.")
else:
        print("음수입니다.")
```

```
정수를 입력하시오: -22
음수입니다.
```

■ **실습예제 5**

if-elif-else문을 사용하여 입력된 점수가 90점 이상(A), 80점 이상(B), 70점 이상(C), 60점 이상(D), 60점 미만(F)가 등장하는 프로그램을 작성해 보자.

```
num=int(input("점수를 입력하세요 : "))
if    num >= 90 :
      print("A")
elif num >= 80 :
      print("B")
elif num >= 70 :
      print("C")
elif num >= 60 :
      print("D")
else :
      print("F")
print("학점 입니다")
```

```
점수를 입력하세요 : 77
C
학점 입니다
```

13.4 파이썬의 반복문

13.4.1 기본 for 문

파이썬의 for문은 반복문으로 for문 뒤에 시작값과 끝값 및 증가값의 조건에 맞게 명령이 반복 실행된다.

```
for 변수 in range(시작값, 끝값+1, 증가값):
    이 부분을 명령
```

파이썬의 for문의 형식은 다음과 같다.

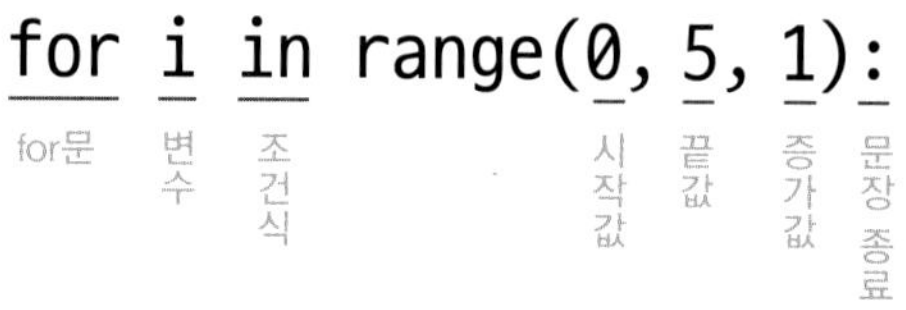

$$\underset{\text{for문}}{\underline{\text{for}}} \;\; \underset{\text{변수}}{\underline{\text{i}}} \;\; \underset{\text{조건식}}{\underline{\text{in}}} \;\; \text{range}(\underset{\text{시작값}}{\underline{0}}, \underset{\text{끝값}}{\underline{5}}, \underset{\text{증가값}}{\underline{1}})\underset{\text{문장종료}}{\underline{:}}$$

그림 13-4 for문의 형식

스크립트모드에서 아래 소스를 작성하자.

```
for i in range(0, 5, 1):
        print("파이썬 학습을 환영합니다!")
```

```
파이썬 학습을 환영합니다!
파이썬 학습을 환영합니다!
파이썬 학습을 환영합니다!
파이썬 학습을 환영합니다!
파이썬 학습을 환영합니다!
```

반복문 문장이 끝나면 반드시 콜론(:)을 붙여야 한다. 다음 문장은 들여쓰기와 블록block으로 구분한다.

for문을 사용하여 1부터 10까지의 합을 구해 보자.

```
i = 0
sum=0

for i in range(1, 11, 1) :
    sum = sum + i

print("1에서 10까지의 합 : %d" % sum)
```

1에서 10까지의 합 : 55

for문을 사용하여 1부터 1000까지의 짝수의 합을 구해 보자

```
i, sum = 0, 0

for i in range(0, 1001, 2) :
    sum =sum + i

print("0에서 1000까지 짝수의 합 : %d" %sum)
```

0에서 1000까지 짝수의 합 : 250500

for 문을 지원하는 range()함수의 시작값, 끝값+1, 증가값만 변경하면 다양한 합을 구할 수 있다.

input()를 사용하여 입력된 수까지의 합을 구해보자.

```
i, sum, num = 0, 0, 0

num = int(input("정수 입력:"))

for i in range(0, num+1, 1) :
    sum =sum + i

print("0에서 num까지의 합 : %d" %sum)
```

```
정수 입력:100
0에서 num까지의 합 : 5050
```

input()를 사용하여 입력된 두 수 사이의 합을 구해보자.

```
i, sum, first, second = 0, 0, 0, 0

first = int(input("첫 번째 정수 입력:"))
second = int(input("두 번째 정수 입력:"))

for i in range(first, second+1, 1) :
    sum =sum + i

print(first,"에서", second, "까지의 합 : %d" %sum)
```

```
첫 번째 정수 입력:50
두 번째 정수 입력:100
50 에서 100 까지의 합 : 3825
```

13.4.2 while 문

파이썬의 while문은 반복문으로 for문 뒤에 시작값과 끝값 및 증가값의 조건에 맞게 명령이 반복 실행된다.

```
변수 = 시작값
while   변수 < 끝값 :
    이 부분을 명령
    변수= 변수 + 증가값
```

파이썬의 while문의 형식은 다음과 같다.

$$\underset{\text{변수시작값}}{\underline{\texttt{i = 0}}}$$

$$\underset{\text{while문}}{\underline{\texttt{while}}} \quad \underset{\text{변수의 반복횟수}}{\underline{\texttt{i < 5 :}}}$$

$$\underset{\text{변수증가값}}{\underline{\texttt{i = i + 1}}}$$

그림 13-5

스크립트모드에서 아래 소스를 작성하자.

```
i= 0

while i<6 :
    print("파이썬 학습을 환영합니다!")

    i=i+1
```

파이썬 학습을 환영합니다!
파이썬 학습을 환영합니다!
파이썬 학습을 환영합니다!
파이썬 학습을 환영합니다!
파이썬 학습을 환영합니다!

while문을 사용하여 1부터 10까지의 합을 구해 보자.

```
i = 0
sum=0

while i<11 :
    sum = sum + i
    i=i+1

print("1에서 10까지의 합 : %d" % sum)
```

> 1에서 10까지의 합 : 55

while문을 사용하여 입력된 두수 사이에서 증가 값의 합을 구해 보자.

```
i, sum, first, second, add = 0, 0, 0, 0, 0

first = int(input("첫 번째 정수 입력:"))
second = int(input("두 번째 정수 입력:"))
add = int(input("증가하는 정수 입력:"))

i=first
while i<second :
    sum =sum + i
    i=i+add
print(first,"에서", second, "까지의 합 : %d" %sum)
```

> 첫 번째 정수 입력:50
> 두 번째 정수 입력:100
> 증가하는 정수 입력:3
> 50 에서 100 까지의 합 : 1258

▪ 실습예제 1

1부터 5까지의 정수가 공백 없이 한 줄에 출력되도록 for문과 end=""를 사용하여 프로그램을
작성해 보자.

> 12345

```
for i in range(1, 6, 1):
        print(i, end=" ")
```

■ **실습예제 2**

for문을 이용하여 팩토리얼(입력된 자연수까지 모두 곱한 값)의 프로그램을 작성해 보자.

```python
num = int(input("자연수를 입력하시오: "))

fact = 1
for i in range(1, num+1):
        fact = fact * i
print(num,"!은", fact, "이다.")
```

```
자연수를 입력하시오: 10
10 !은 3628800 이다.
```

■ **실습예제 3**

아래와 같이 사용자가 입력 숫자의 구구단을 for문을 사용하여 출력하도록 프로그램을 작성해
보자.

```
단을 입력하시오 ? 8
 8  X  1  =   8
 8  X  2  =  16
 8  X  3  =  24
 8  X  4  =  32
 8  X  5  =  40
 8  X  6  =  48
 8  X  7  =  56
 8  X  8  =  64
 8  X  9  =  72
```

```python
i, num = 0, 0

num = int(input(" 단을 입력하시오 ? "))

for i in range(1, 10, 1) :
    print(" %d  X  %d  =  %2d" % (num, i, num*i))
```

■ **실습예제 4**

아래와 같이 사용자가 입력 숫자의 구구단을 while문을 사용하여 출력하도록 프로그램을 작성해 보자.

```
단을  입력하시오 ? 7
7  X  1  =   7
7  X  2  =  14
7  X  3  =  21
7  X  4  =  28
7  X  5  =  35
7  X  6  =  42
7  X  7  =  49
7  X  8  =  56
7  X  9  =  63
```

```python
i, num = 0, 0

num = int(input(" 단을  입력하시오 ? "))

i=0
while i<9 :
    i=i+1
    print(" %d  X  %d  =  %2d" % (num, i, num*i))
```

13.5 파이썬의 리스트

13.5.1 1차원 리스트 List

파이썬의 리스트는 다른 언어의 배열과 비슷한 연속적인 메모리 공간에 값을 연속적으로 보관 할 수 있다. 변수 값을 하나씩 보관하던 것을 여러 개를 동시에 보관한다.

리스트명=[값1, 값2, 값3, 값4 ......]

변수에 [ ]로 값을 저장하여 리스트를 만들었다. 리스트에 저장된 각 값을 요소element 라고 부른다.

```
>>> a = [10, 20, 30, 40]
>>> a
```

```
[10, 20, 30, 40]
```

리스트의 첫 번째 요소의 값을 부르고 싶다면 a[0]를 작성하면 된다.

```
>>> a = [10, 20, 30, 40]
>>> a[0]
```

```
10
```

리스트에 저장된 각 값의 요소는 배열과 달리 다양한 데이터형을 묶을 수 있다.

```
>>> a = [10, True, 30.00, "철수"]
>>> a
```

```
[10, True, 30.0, '철수']
```

for문을 이용하여 리스트 요소의 값을 더한다.

```
a=[10, 20, 30, 40]
sum=0

for i in range(0,4):
  sum=sum+a[i]

print(sum)
```

```
100
```

리스트 요소의 값에 콜론Color (:)을 사용하여 범위를 지정할 수 있다. 리스트 요소의 처음(a[0])부터 a[1]까지의 값을 의미한다.

```
>>> a = [10, 20, 30, 40]
>>> a[0:2]
```

```
[10, 20]
```

리스트 요소의 a[2]부터 a[3]까지의 값을 의미한다.

```
>>> a = [10, 20, 30, 40]
>>> a[2:4]
```

```
[30, 40]
```

리스트 요소의 a[3]부터 끝까지의 값을 의미한다.

```
>>> a = [10, 20, 30, 40]
>>> a[3:]
```

```
[40]
```

리스트 요소의 처음부터 a[1]까지의 값을 의미한다.

```
>>> a = [10, 20, 30, 40]
>>> a[:2]
```

```
[10, 20]
```

파이썬 리스트를 간편하게 사용할 수 있는 여러 함수들에 대해 알아본다.

표 13-5 리스트 함수의 종류

연산자	기능	사용 예
append()	제일 뒤에 값을 추가한다	LM.append(값)
sort()	항목 정렬 (기본값 : 오름차순 정렬)	LM.sort()
insert()	지정된 위치에 값을 삽입한다.	LM.insert(위치, 값)
extend()	리스트 뒤에 리스트를 추가한다. 리스트의 더하기 (+) 연산과 동일한 기능을 한다.	LM.remove(지울 값)
remove()	리스트에서 지정한 값을 제거, 단 지정한 값이 여러 개일 경우 첫 번째 값만 지운다	LM.extend(LM)
del()	리스트에서 해당 위치의 항목을 삭제	del(LM[위치])
len()	리스트의 요소의 전체 개수를 리턴	len(LM)

13.5.2 2차원 리스트

파이썬의 2차원 리스트는 선의 형상인 1차원을 여러 개 연결하여 면의 형상으로 첨자를
2개 사용한다.

변수에 [ ]로 값을 저장하여 2차원 리스트를 만들었다.

```
>>> a = [[10, 20, 30, 40], [50, 60]]
>>> a
```

```
[[10, 20, 30, 40], [50, 60]]
```

리스트의 요소의 30값을 부르고 싶다면 a[0][2]를 작성하면 된다.

```
>>> a = [[10, 20, 30, 40], [50, 60]]
>>>a[0][2]
```

```
30
```

스크립트모드에서 아래 소스를 작성하자.

```
name = [홍길동, 성춘향, 임꺽정, 장길산]
name[0]
name[1]
name[2]
name[3]
```

```
파이썬 학습을 환영합니다!
파이썬 학습을 환영합니다!
파이썬 학습을 환영합니다!
파이썬 학습을 환영합니다!
파이썬 학습을 환영합니다!
```

▪ 실습예제 1

리스트 요소 중에 del함수를 사용하여 첫 번째 요소를 제거하는 프로그램을 작성해 보자.

```
books = [ "홍길동전", "춘향전", "심청전", "임꺽정" ]
del books[0]
print(books)
```

```
['춘향전', '심청전', '임꺽정']
```

▪ 실습예제 2

리스트 요소 중에 append함수를 사용하여 요소를 추가하는 프로그램을 작성해 보자.

```
books = [ "홍길동전", "춘향전", "심청전", "임꺽정" ]
books.append("흥부와놀부")
print(books)
```

```
['홍길동전', '춘향전', '심청전', '임꺽정', '흥부와놀부']
```

■ **실습예제 3**

입력된 리스트 요소를 sort()를 사용하여 오름차순으로 정렬되어 출력되는 프로그램을 작성해 보자.

```
a = [3, 8, 6, 4, 5, 2, 1, 7]
b = a.sort()
print(a, b)
```

```
[1, 2, 3, 4, 5, 6, 7, 8] None
```

■ **실습예제 4**

리스트 요소 중에 append() 함수를 사용하여 요소를 추가하고 len() 함수를 사용하여 요소의 개수를 구하는 프로그램을 작성해 보자.

```
a = [0, 2, 5]
b = ['aa', 'bb', 'cc','dd','ee''gg']
c = ['가', '나', '다']

a.append(1)
b.append('ff')
c.append('라')

print(a, len(a))
print(b, len(b))
print(c, len(c))
```

```
[0, 2, 5, 1] 4
['aa', 'bb', 'cc', 'dd', 'eegg', 'ff'] 6
['가', '나', '다', '라'] 4
```

13.6 파이썬의 함수

13.6.1 함수의 기본

함수는 어떤 일을 수행하는 코드의 묶음으로 입력을 받아서 출력을 내보내는 박스의 의미이다. 다음은 함수의 선언 형식이다.

```
def 함수이름(매개변수1, 매개변수2, ....):
      수행문1
      수행문2
      reteturn(반환값)
```

간단한 함수선언 코드이다.

```
def calcu(x, y):
      return x*y
```

def는 함수 선언이다. 함수 이름은 calcu이고 2개의 x와 y라는 매개변수를 사용하고 있다. 그리고 x*y값을 반환한 함수이다.

스크립트모드에서 아래 소스를 작성하자.

```
def c(x, y):
      return x*y
r_x=20
r_y=30
print("사각형 x의 길이:", r_x)
print("사각형 y의 길이:", r_y)

print("사각형 넓이:",c(r_x, r_y))
```

```
사각형 x의 길이: 20
사각형 y의 길이: 30
사각형 넓이: 600
```

함수의 선언 후 해당 코드 호출하여 함수 다음의 코드를 실행한다. r_x=20과 r_y=30의 값이 변수에 할당되고 값이 출력된다. 다음 코드인 print("사각형의 넓이:", c(r_x, r_y))를 호출한다. 해당 함수를 호출하고, r_x와 r_y 변수에 할당된 값이 c에 입력된다. 그러면 함수 코드 return x * y 에 의해 반환값 600이 반환된다.

13.6.2 지역변수 전역변수

지역 변수Local Variable는 함수 내부에서 선언되는 변수이고, 전역 변수Global Variable 함수 전역에서 선언되는 변수이다.

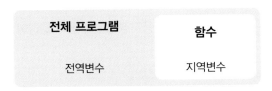

전체 프로그램	함수
전역변수	지역변수

그림 13-6

스크립트모드에서 아래 소스를 작성하자.

```python
def aaa(y):
        print(x)
        y=100
        print("함수", y)


x=200
aaa(x)
print("함수", x)
print("함수", y)
```

```
200
함수 100
함수 200
Traceback (most recent call last):
  File "C:/Users/13-6-1-03.py", line 9, in <module>
    print("함수", y)
NameError: name 'y' is not defined
```

y가 첫째 줄 aaa()함수 안에서만 사용할 수 있는 지역변수이기 때문에 오류가 발생했다. 코드상에서 변수 x는 프로그램 전체에 적용되는 전역변수이고 y는 aaa() 안에서 사용되는 지역변수이다. 프로그램은 aaa()함수에서 x = 200으로 먼저 시작되다. 그리고 print("함수", x)에서 x는 aaa(x) 함수로 변수를 넘기게 된다. 그렇다면 함수 안에서 처음 만나는 두 번째 줄 print(x)의 x는 200의 x를 뜻한다. 즉, 프로그램 전체에서 사용할 수 있는 전역 변수이다. 함수 안의 y는 aaa(x) 함수의 x를 y로 치환하여 사용한다. 즉, 함수 안에서는 x를 따로 선언한 적은 없고, y를 선언하여 사용하는 것이다. 그리고 셋째 줄의 y = 100에 의해 y에 100이 할당되고 aaa()함수가 종료되어 외부에서 사용할 수 없는 변수이다.

■ **실습예제 1**

3개의 매개변수를 사용하는 calcu라는 사용자정의 함수를 사용하여 간단한 연산 프로그램을 작성해 보자.

```python
def calcu(a, b, c):
    return a + b * c - b

print(calcu(10, 5, 20))
```

105

■ **실습예제 2**

입력된 값에 의해 원의 면적을 사용자정의 함수를 사용하여 출력되는 프로그램을 작성해 보자.

```python
def cal_area (r):
    global a
    a = 3.14 * r**2
    return

a= 0
x = float(input("원의 반지름: "))
cal_area(x)
print(a)
```

원의 반지름: 5
78.5

EXERCISES

1. 3개의 점수를 입력하여 평균 점수가 70점 이상이면 합격이고, 70점 미만이면 불합격인 프로그램을 작성하시오.

2. if-elif-else문을 사용하여 국어, 영어, 수학 3개 과목의 점수를 입력받아 각 과목의 학점과 평균 점수의 학점을 출력하는 프로그램을 작성하시오. 단, 90점 이상(A), 80점 이상(B), 70점 이상(C), 60점 이상(D), 60점 미만(F) 로 한다.

3. for문을 이용하여 입력된 자연수까지 모두 더한 값을 출력하는 프로그램을 작성하시오.

4. 2단에서 9단까지의 구구단을 while문을 사용하여 출력하도록 프로그램을 작성하시오.

5. 리스트 요소 중에 insert함수를 사용하여 요소를 추가하는 프로그램을 작성하시오.

CHAPTER 14
파이썬 프로젝트

14.1 파이썬으로 계산 프로그램 만들기

14.1.1 사칙연산 계산 프로그램 만들기

입력된 두 수를 이용해서 사칙연산 프로그램을 만들어 보자.

```python
a = int(input("첫 번째 수를 입력하세요 : "))
b = int(input("두 번째 수를 입력하세요 : "))
result = a + b
print(a, "+", b, "=", result)
result = a - b
print(a, "-", b, "=", result)
result = a * b
print(a, "*", b, "=", result)
result = a / b
print(a, "/", b, "=", result)
```

```
첫 번째 수를 입력하세요 : 20
두 번째 수를 입력하세요 : 12
20 + 12 = 32
20 - 12 = 8
20 * 12 = 240
20 / 12 = 1.6666666666666667
```

14.1.2 무한루프를 이용한 사칙연산 계산 프로그램 만들기

무한루프를 이용해서 계산기를 만드는 방법으로 while반복문 조건을 True로 입력해 놓
으면 반복을 계속하게 된다. 각 연산은 입력 받은 m값에 따라 나타난다. 그리고 m에 6을
입력하면 break문에 의해 무한루프가 빠져나가는 계산기 프로그램을 만들어 보자.

```
while True:
    m = int(input("원하는 연산기호(+,-,*,/)를 숫자로 선택(1~4)하세요. "))
    if(m > 0 and m <= 4):
        a = int(input("첫번째 수를 입력하세요.  "))
        b = int(input("두번째 수를 입력하세요.  "))
        if(m == 1):
            print("연산결과는 %d + %d = %d 입니다."%(a, b, a+b))
        elif(m == 2):
            print("연산결과는 %d - %d = %d 입니다."%(a, b, a-b))
        elif(m == 3):
            print("연산결과는 %d * %d = %d 입니다."%(a, b, a*b))
        elif(m == 4):
            print("연산결과는 %d / %d = %d 입니다."%(a, b, a/b))

    elif(m == 5):
        break
    else:
        print("다시 입력해 주세요.")
```

원하는 연산기호(+,-,*,/)를 숫자로 선택(1~4)하세요. 0
다시 입력해 주세요.
원하는 연산기호(+,-,*,/)를 숫자로 선택(1~4)하세요. 1
첫번째 수를 입력하세요. 1
두번째 수를 입력하세요. 1
연산결과는 1 + 1 = 2 입니다.
원하는 연산기호(+,-,*,/)를 숫자로 선택(1~4)하세요. 2
첫번째 수를 입력하세요. 2
두번째 수를 입력하세요. 2
연산결과는 2 - 2 = 0 입니다.
원하는 연산기호(+,-,*,/)를 숫자로 선택(1~4)하세요. 3
첫번째 수를 입력하세요. 3
두번째 수를 입력하세요. 3
연산결과는 3 * 3 = 9 입니다.
원하는 연산기호(+,-,*,/)를 숫자로 선택(1~4)하세요. 4
첫번째 수를 입력하세요. 4
두번째 수를 입력하세요. 4
연산결과는 4 / 4 = 1 입니다.
원하는 연산기호(+,-,*,/)를 숫자로 선택(1~4)하세요. 5

14.1.3 사용자정의 함수를 이용한 사칙연산 계산 프로그램 만들기

함수를 써서 표현한 것으로 덧셈, 뺄셈 등 각 연산에 대해 사용자 정의 함수(def)를 이용하여 계산기 프로그램을 만들어 보자.

```python
def sum(a,b):
    return a+b

def sub(a,b):
    return a-b

def mul(a,b):
    return a*b

def div(a,b):
    return a/b

while True:
    m = int(input("원하는 연산기호(+,-,*,/)를 숫자로 선택(1~4)하세요.  "))
    if(m > 0 and m <= 4):
        a = int(input("첫번째 수를 입력하세요.  "))
        b = int(input("두번째 수를 입력하세요.  "))
        if(m == 1):
            answer = sum(a, b)
            print("연산결과는  %d + %d = %d 입니다."%(a, b, answer) )
        elif(m == 2):
            answer  = sub(a, b)
            print("연산결과는  %d - %d = %d 입니다."%(a, b, answer) )
        elif(m == 3):
            answer  = mul(a, b)
            print("연산결과는  %d * %d = %d 입니다."%(a, b, answer) )
        elif(m == 4):
            answer  = div(a, b)
            print("연산결과는  %d / %d = %d 입니다."%(a, b, answer) )

    elif(m == 5):
        break
    else:
        print("다시 입력해 주세요.")
```

원하는 연산기호(+,-,*,/)를 숫자로 선택(1~4)하세요. 0
다시 입력해 주세요.
원하는 연산기호(+,-,*,/)를 숫자로 선택(1~4)하세요. 1
첫번째 수를 입력하세요. 1
두번째 수를 입력하세요. 1
연산결과는 1 + 1 = 2 입니다.
원하는 연산기호(+,-,*,/)를 숫자로 선택(1~4)하세요. 2
첫번째 수를 입력하세요. 2
두번째 수를 입력하세요. 2
연산결과는 2 - 2 = 0 입니다.
원하는 연산기호(+,-,*,/)를 숫자로 선택(1~4)하세요. 3
첫번째 수를 입력하세요. 3
두번째 수를 입력하세요. 3
연산결과는 3 * 3 = 9 입니다.
원하는 연산기호(+,-,*,/)를 숫자로 선택(1~4)하세요. 4
첫번째 수를 입력하세요. 4
두번째 수를 입력하세요. 4
연산결과는 4 / 4 = 1 입니다.
원하는 연산기호(+,-,*,/)를 숫자로 선택(1~4)하세요. 5

EXERCISES

1. 교재의 계산기 프로그램 예제를 각자의 계산기 프로그램으로 작성하시오.

2. 2개의 매개변수를 사용하는 calcu라는 사용자정의 함수를 사용하여 두 수의 사칙 연산을 출력하는 프로그램을 작성하시오.

3. 국내 K리그 프로축구 경기 정보를 이용하여 자동으로 축구 경기 결과를 알려 주는 프로그램을 작성하시오.

> 경기 일시는 언제입니까? 7일 오후 7시
> 축구 경기장은 어디입니까? 전주월드컵경기장
> 경기 라운드는 몇입니까? 19
> 승리한 팀 어디입니까? 전북 현대
> 패한 팀은 어디입니까? 성남 FC
> 경기 MVP는 누구입니까? 이동국
> 스코어는 몇 대 몇입니까?3:1
> 승리팀의 승점은 얼마입니까?41
> 승리팀의 순위는 몇위입니까?1
>
>
> ===
> 7일 오후 7시에 전주월드컵경기장에서 열린 K리그 19라운드에서 전북 현대가 성남 FC에 3-1 승리를 거뒀다. 오늘의 MVP는 이동국 선수이고, 이로써 전북 현대는 승점 41점으로 현재 순위가 1위이다.
> ===

4. 사용자로부터 키와 몸무게를 입력받아서 BMIBody mass index 값을 출력하는 프로그램을 작성 하시오. (BMI는 몸무게/키의제곱)

5. 물건 판매자로부터 손님이 최소한의 잔돈 개수를 계산하여 거스름돈을 출력하는 프로그램을 작성하시오. 단, 물건 값은 100원 단위라고 가정하고 판매자는 지폐 1000원, 동전 500원, 100 원 짜리만 가지고 있다고 가정한다.

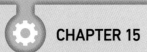

머신러닝 시작하기

15.1 Microsoft Azure ML Studio 소개

Azure는 2010년부터 서비스한 Microsoft 사의 클라우드 컴퓨팅 플랫폼이다. 2011년 PaaS에 이어 2013년 IaaS 서비스를 시작하면서 Azure 플랫폼의 Azure Machine Learning Studio를 사용했다. 그렇다면 기계학습을 할 수 있는 오픈 소스 라이브러리와 툴이 많은데, 왜 굳이 Azure Machine Learning Studio를 사용할까?

기존의 Machine Learning 라이브러리와 툴의 고질적인 문제인

(1) 학습에 필요한 컴퓨팅 자원의 유연성 부족

(2) 오픈소스의 라이브러리와 같이 GPU 기반 학습을 위한 설정작업의 번거로움

(3) 학습에 필요한 도구·환경의 설치·설정의 어려움

(4) 실험 과정의 기록 및 버전관리의 어려움

(5) Jupyter Notebook 등의 협업을 위한 솔루션 직접 설치·설정의 어려움

이러한 문제를 해결할 수 있기 때문이다.

그림 15-1은 Azure Machine Learning의 workflow 이다. 그림 15-1을 통해 Azure 플

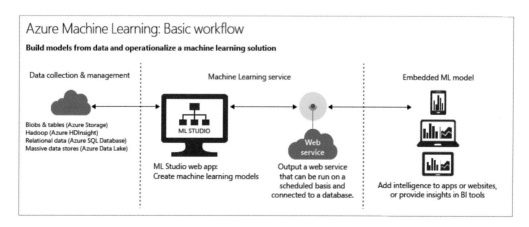

그림 15-1 Azure Machine Learning Basic workflow

랫폼을 활용하여 데이터 수집 & 관리를 클라우드에서 하고 ML Stduio를 통해 모델을 만들고 손쉽게 웹서비스를 구축한 뒤 다양한 기기에 적용시킬 수 있다는 것을 알 수 있다. 또한 기존의 클라우드 플랫폼·기계학습 라이브러리와 툴과 다르게 사용자의 편의성을 고려하여 접근하기 쉬운 GUI 환경으로 제공한다.

그림 15-2를 통해 Azure ML Studio는 기존의 머신러닝 툴·라이브러리와 다르게 블록을 Drag & Drop 형식으로 끌어와 쉽게 모델을 만들 수 있는 것을 볼 수 있다. 아울러 R, Python 언어로 짠 스크립트를 블록형태로 삽입하여 활용도 가능할 뿐 아니라 결과를 시각화를 통해 확인할 수 있다. 쉬운 구조 덕분에 사용방법만 숙지하면 누구나 쉽게 예측모델을 만들 수 있다.

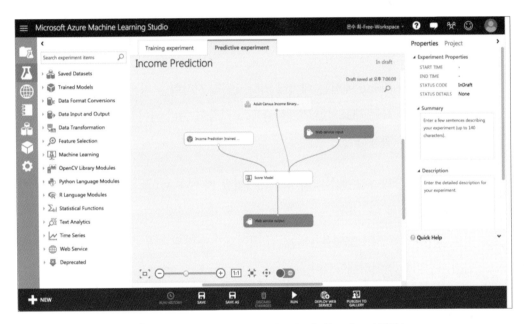

그림 15-2 Azure Machine Learning Studio Experiment 캔버스

Azure AI Gallery는 다른 사용자가 개발한 프로젝트를 사용해보거나 자신의 프로젝트로 가져와 수정할 수 있으며 Gallery에서 공유한 프로젝트를 Facebook, Twitter 같은 SNS에 게시하여 프로젝트에 대한 의견을 물어볼 수 있다.

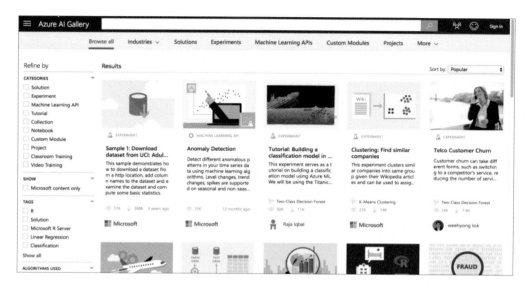

그림 15-3 Azure AI Gallery

Azure Machine Learning 에서는 데이터 입력, 출력, 시각화를 기본적으로 지원하며, 데이터 과학자들이 애용하는 대표적인 기계학습 알고리즘이 준비 되어있다.

이러한 구성요소를 활용하여

(1) 실험 데이터 삽입 : 모델을 학습시킬 데이터를 가져와 Azure Cloud에 삽입하여 다방면으로 활용할 수 있다.

(2) 실험 데이터 전처리 : 모델을 학습시킬 데이터가 누락된 경우 오탈자가 있을 경우를 위해 데이터를 전처리해야한다.

(3) 특징추출 : 모델을 학습시키기 위해 목적과 알고리즘에 맞게 특징을 추출한다.

(4) 학습과 모델평가 : 알고리즘을 선정하고 학습을 시키고 평가를 하여 모델에 대한 평가를 내리고 오류는 없는지 확인한다.

(5) 학습된 모델 저장 : 학습 완료된 모델을 저장한다.

(6) 웹서비스 적용 및 실행 : 학습 완료된 모델을 웹 서비스를 활용하기 위해 적용하고 실행한다.

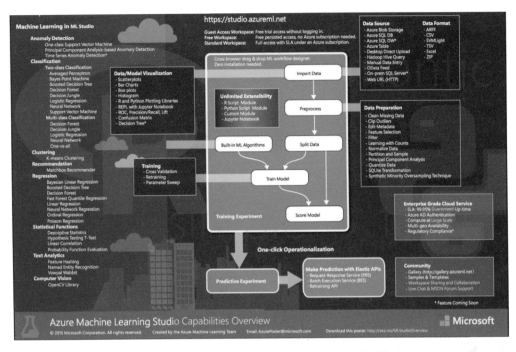

그림 15-4 Azure Machine Learning Studio 다이어그램

15.2 Microsoft Azure ML Studio 사용자 등록하기

https://studio.azureml.net/에 접속하여 그림 15-5의 Sigh up here 링크를 클릭한다.

그림 15-5 Azure Machine Learning Studio 홈페이지

그림 15-6과 같이 팝업창이 뜨는 것을 볼 수 있는데, Guest로 들어가 8시간 무료로 사용할 수 있으나, 프로젝트, 실험 데이터 등의 보관을 위해서 Microsoft 계정으로 Free Workspace를 받아 사용하는 것을 추천한다.

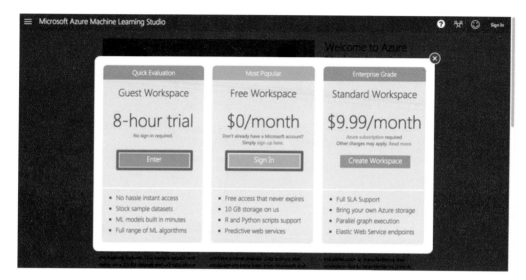

그림 15-6 Azure Machine Learning Studio 사용자 선택 팝업창

정상적으로 로그인 했다면 그림 15-7과 같은 Workspace를 볼 수 있다. 정상적으로 로그인 했다면 다음 장으로 Azure Machine Learning 의 기능을 알아보도록 하자.

그림 15-7 Azure Machine Learning Studio Workspace

15.3 Microsoft Azure ML Studio 기능 소개

로그인에 성공했으면 그림 15-8의 + NEW 버튼을 눌러 Workspace의 기능을 보자.

그림 15-8 Azure Machine Learning Studio Workspace의 +NEW 버튼

+NEW 버튼을 누르면 그림 15-9와 같이

1. DATASET 2. MODULE 3. PROJECT 4. EXPERIMENT 5. NOTEBOOK이 담긴 버튼들을 볼 수 있다. DATASET 기능은 실험데이터 파일을 Azure Cloud에 올려 계정 내에서 계속 사용할 수 있다. 또한, Python언어로 작성된 모듈을 담은 압축파일(.zip)을 넣어 Python 스크립트를 모듈화 하여 사용할 수 있다.

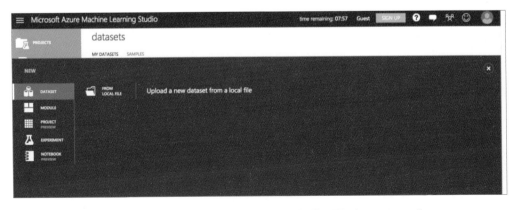

그림 15-9 Azure Machine Learning Studio 의 기능목록 및 DATASET 기능

그림 15-10의 MODULE 기능은 R언어로 작성된 스크립트를 담은 압축파일(.zip)을 넣어 R 스크립트를 모듈화 하여 사용할 수 있다. 아울러 Microsoft가 Gallery에 공개한 다양한 R언어로 만들어진 모듈 예제를 가져와 사용할 수 있다.

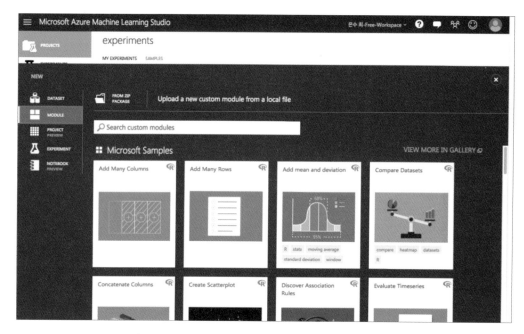

그림 15-10 Azure Machine Learning Studio 의 MODULE 기능

그림 15-11의 PROJECT 기능을 활용하여 Datasets, Experiments, Modules, Notebooks, Trained Models, Webservice 등의 기능들을 한 집합으로 꾸려서 편리하게 관리할 수 있다.

그림 15-11 Azure Machine Learning Studio 의 PROJECT 기능

그림 15-12의 EXPERIMENT 기능은 삽입한 Dataset 과 다양한 기능들을 활용하여 모델을 만들고 Webservice 까지 적용할 수 있는 장소이다. 또한 Microsoft가 Gallery에 공개한 예제를 가져와 사용할 수 있다.

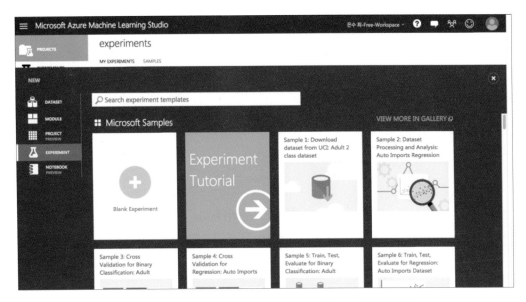

그림 15-12 Azure Machine Learning Studio 의 EXPERIMENT 기능

그림 15-13의 NOTEBOOK 기능은 Jupyter notebook을 통해 R언어, Python언어를 실습할 수 있는 Workspace를 주는 기능을 한다.

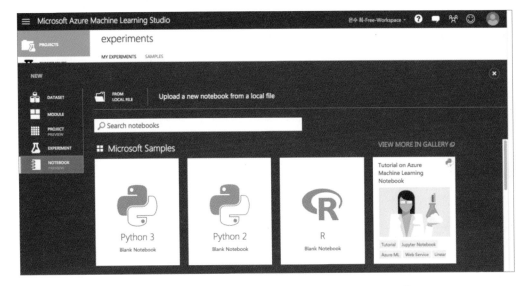

그림 15-13 Azure Machine Learning Studio 의 NOTEBOOK 기능

15.4 Microsoft Azure ML Studio 예측모델 제작

15.4.1 Microsoft Azure ML Studio Experiment 화면 구성 및 기능

튜토리얼에 앞서 Experiment 창에 구성된 화면을 알아보도록하자. 그림 15-14의 번호를 통해 기능 설명을 보도록하자.

(1) 카테고리 메뉴 : Dataset, Experiment 등을 관리 할 수 있는 장소

(2) 탐색 팔레트 : 분석 프로젝트의 주요 기능을 담은 장소

(3) 실험 캔버스 : 실제 분석을 수행하는 Work Flow 영역, Drag & Drop을 통해 모델을 만들 수 있다.

(4) 속성 : 각 모듈의 속성을 나타낸다. 각 모듈마다 다른 속성을 가질 수 있다.

(5) 관리 메뉴 : 저장, 실행, 웹서비스 게시, 갤러리 게시 등을 실행 할 수 있고, +NEW를 선택하여 Dataset 삽입, 모듈 불러오기 등을 실행할 수 있다.

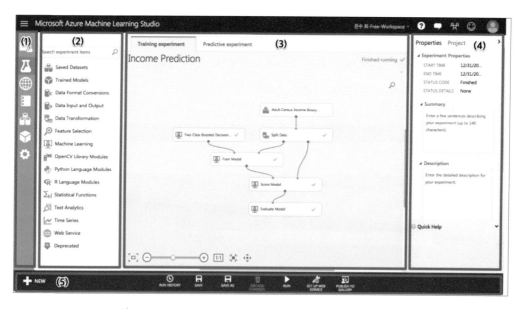

그림 15-14 Azure Machine Learning Studio Experiment 화면 구성

15.4.2 Microsoft Azure ML Studio Experiment 튜토리얼

Azure Machine Learning Studio는 Microsoft에서 튜토리얼을 제공해준다. 그림 15-15의 +NEW 버튼을 눌러 EXPERIMENT 메뉴를 클릭 후 튜토리얼을 시작해보자. 자동으로 블록을 끌어다주면서 설명을 해주니 걱정하지 말고 튜토리얼을 통해 기본 사용법을 배워보자.

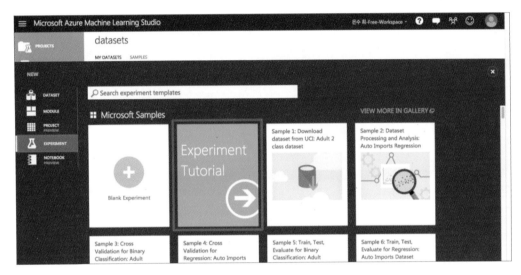

그림 15-15 튜토리얼 시작

그림 15-16의 Get Started 버튼을 누르면 튜토리얼이 시작된다. 튜토리얼은 5단계로 진행하게된다.

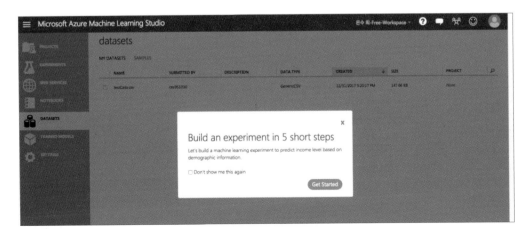

그림 15-16 튜토리얼은 5단계로 진행

그림 15-16은 튜토리얼이 시작되고, 원격으로 마우스를 움직이며 빈 Experiment를 만들어주는 장면이다. Experiment가 없으면 Azure Machine Learning Studio을 사용하여 예측 모델을 만들 수 없다.

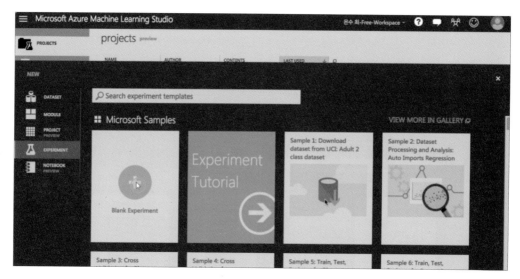

그림 15-17 원격으로 작동되는 튜토리얼

그림 15-17은 Experiment 이름을 Income Prediction으로 변경하고, 모델을 만들기 위해 샘플데이터를 가져오는 장면이다. 튜토리얼에 사용할 샘플데이터는 Azure Machine Learning Studio에서 제공해준다. Show Me 버튼을 눌러 진행하자.

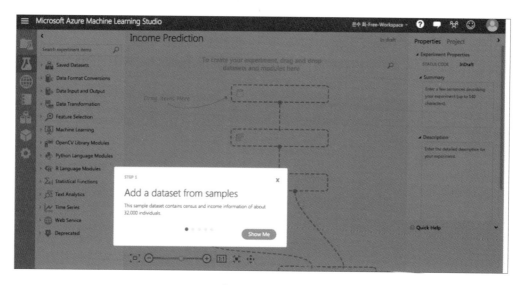

그림 15-18 샘플데이터

그림 15-18은 탐색 팔레트에서 Income을 검색하여 Saved Datasets의 Sample 데이터 인 Adult Census Income Binary Classification dataset 을 가져오는 장면이다. Sample 데이터 말고 내가 원하는 데이터를 삽입하는 방법은 추후에 배울 예정이니 걱정하지 말고 마음 편하게 튜토리얼을 보도록 하자.

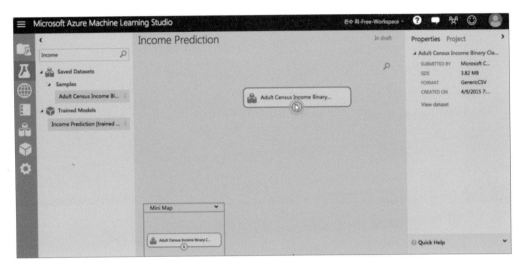

그림 15-19 탐색 팔레트에서 샘플 데이터를 제공

그림 15-19는 가져온 데이터 셋 블록을 오른쪽 클릭한 후 Visualize 버튼을 클릭해 시각 화된 데이터 셋을 보는 장면이다. 데이터 셋을 간단하게 클릭만으로도 시각화하여 데이터 현황을 볼 수 있다.

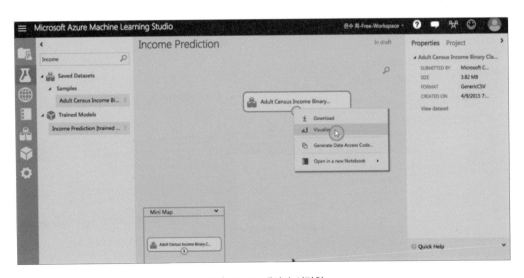

그림 15-20 데이터 시각화

그림 15-20은 데이터 시각화를 통해 데이터의 행과 열을 확인할 수 있으며, 데이터의 속성을 세분화하여 볼 수 있는 장면이다.

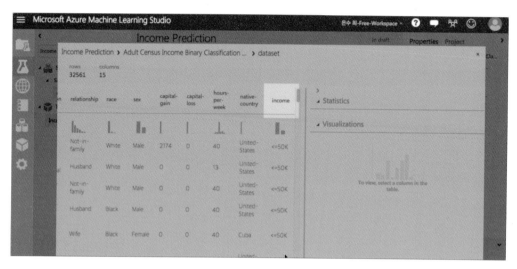

그림 15-21 데이터 시각화를 통해 속성 세분화하여 보기

그림 15-21은 모델이 데이터에 과적합. 즉, 오버피팅Overfitting을 방지하기 위해 데이터 셋을 Split 하자고 제안하는 장면이다. 모델을 학습시킬 때 과적합을 피하기 위해 데이터 셋을 훈련데이터와 테스트데이터를 나누는 것은 매우 중요하다. 보통 훈련데이터와 테스트데이터를 7:3 비율로 나누는 경향이 있다.

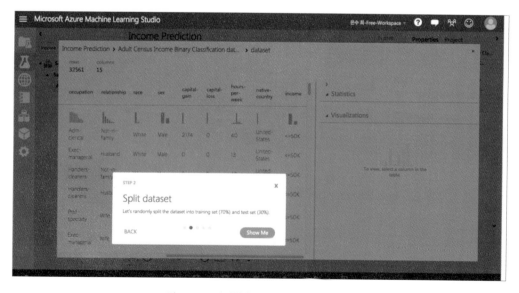

그림 15-22 과적합을 피하기위한 데이터 분할

그림 15-22는 탐색 팔레트에서 Split을 검색하여 캔버스에 배치하고, Split의 속성창에서 훈련데이터 비율과 Random seed의 파라미터 값을 정해주는 장면이다. 훈련데이터 비율은 0.7로 입력하고, 무작위 Random seed 값을 입력해준다. Random seed는 무작위로 입력해도 상관이 없다. Random seed는 컴퓨터 자체가 논리적으로 짜여 있기 때문에, 무작위를 선정하는 파라미터 값이다.

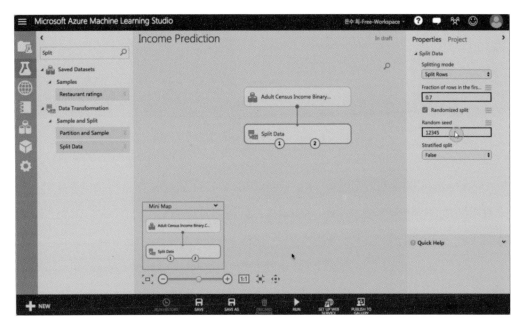

그림 15-23 데이터 분할을 위한 Random Seed

그림 15-23는 데이터 분할 설정이 완료되었고, 모델을 학습시킬 알고리즘을 정하자고 제안하는 장면이다. 본 튜토리얼은 Two-Class Boosted Decision Tree 알고리즘을 적용한다. 알고리즘을 직역해보면 2진 향상된 의사결정 트리 알고리즘이다. 여기서 유심히 봐야할 단어는 2진이다. 왜 2진을 유심히 봐야할까? 튜토리얼을 진행하면서 천천히 살펴보도록 하자.

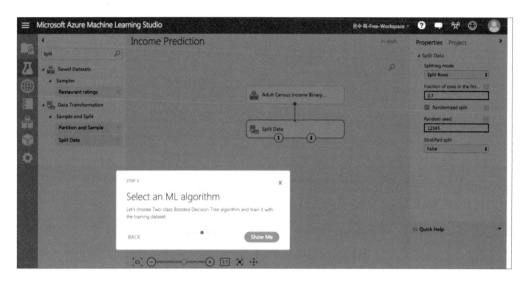

그림 15-24 예측 모델 제작을 위한 알고리즘 선택

그림 15-25는 탐색 팔레트에서 Two-Class Boosted Decision Tree 알고리즘을 캔버스에 배치하고, 탐색팔레트에 가져온 알고리즘으로 데이터를 학습시키기 위해 Train Model을 배치한 장면이다. 눈썰미가 좋은 독자는 Train Model 블록의 오른쪽의 느낌표를 보았을 것이다. Two-Class Boosted Decision Tree를 적용하는데 Label Column이 정의되지 않아서 오류가 나는 것이다. 속성창의 Launch column selector를 눌러 Label Column을 설정해보자.

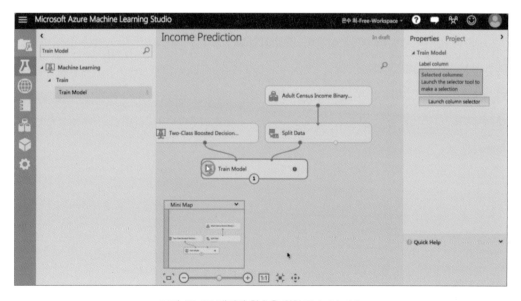

그림 15-25 데이터 학습을 위한 Train Model

그림 15-26은 Launch column selector를 눌러 Label Column을 Income으로 설정하는 장면이다. 왜 많은 속성 값 중에 Income 속성을 골랐을까? 그 이유는 Income의 속성 값은 〈=50K, 〉50K 두 가지로 구성되어있기 때문이다. 많은 속성 값을 받아, Income의 2가지 값 중 하나로 예측 값이 나오는 형태이기 때문이다. 이를 통해 '왜 2진일까?'의 의문이 풀렸을 것이다.

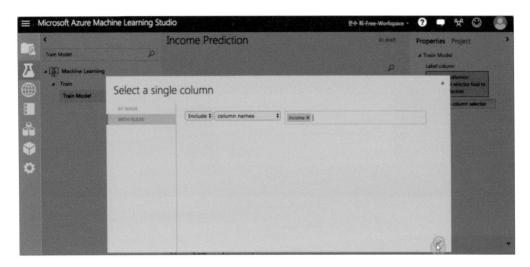

그림 15-26 예측 값 선정

그림 15-27은 Income 컬럼을 선택하고 난 뒤 오류가 말끔히 사라지는 것을 확인 할 수 있는 장면이다.

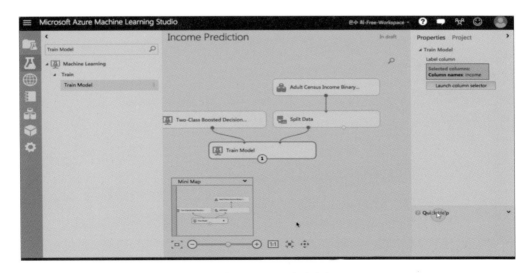

그림 15-27 오류가 사라짐

그림 15-28은 훈련모델과 테스트 데이터를 활용하여 예측을 하자고 제안하는 장면이다. Show Me 버튼을 눌러 진행한다.

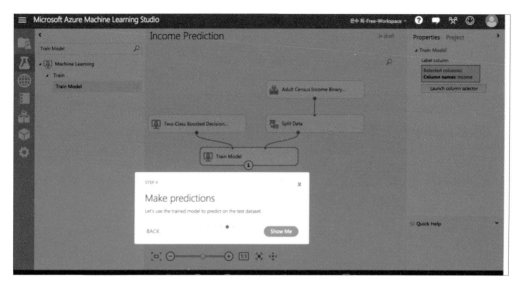

그림 15-28 훈련이 완료되고 예측을 위한 준비 제안

그림 15-29는 예측을 위해 탐색 팔레트에서 Score Model을 배치, 예측한 값을 평가하기 위해 Evaluate Model을 배치한 뒤 연결하는 장면이다.

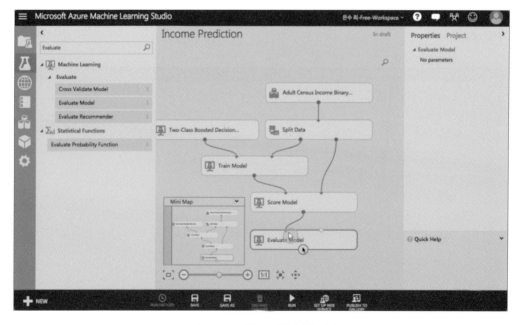

그림 15-29 예측 모델을 위한 배치

그림 15-30은 예측을 위한 모델이 완성이 되었으니 하단의 Run 버튼을 눌러 훈련과 예측 모두 실행하자고 제안하는 장면이다. Show Me 버튼을 눌러 진행하도록 하자.

그림 15-30 Run을 눌러 예측 제안

그림 15-31-1은 Run 버튼을 누르면 모델의 훈련이 진행되는 것을 볼 수 있다. 튜토리얼이지만 실제로 지구 어딘가에 있는 Azure 클라우드 센터의 서버가 연산을 하고 있다.

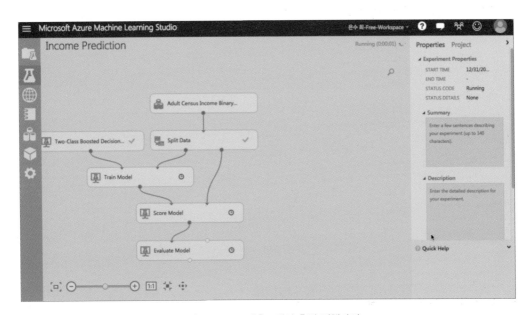

그림 15-31-1 예측모델의 훈련 진행과정

그림 15-31-2는 데이터 셋을 제외한 모든 블록이 체크 표시가 나온 것을 보아 모델 훈련과 예측이 모두 완료가 된 것을 볼 수 있는 장면이다.

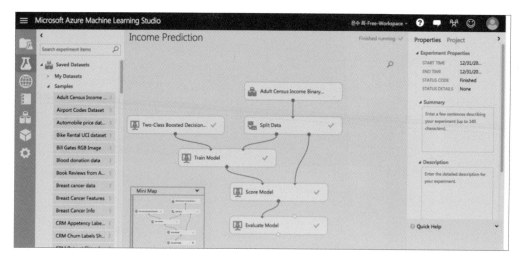

그림 15-31-2 예측모델 훈련 및 예측 완료

그림 15-32는 모델의 훈련과 예측이 완료된 상태로 Score Model의 현황을 보는 과정이다. 모든 모델은 오른쪽 클릭으로 Visualize 항목을 통해 훈련 · 예측된 결과를 확인할 수 있다.

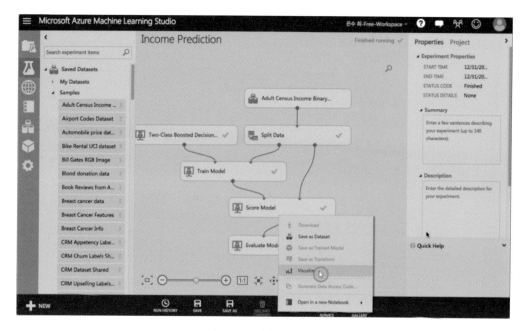

그림 15-32 예측된 결과보기

그림 15-33은 Score Model을 통해 연산된 예측된 값(Scored Labels)과 예측된 값의 확률 (Scored Probabilities)을 확인하는 과정이다. 테스트 데이터를 삽입하고 Scored Model 을 통해 예측된 값과 예측된 값의 확률을 볼 수 있다.

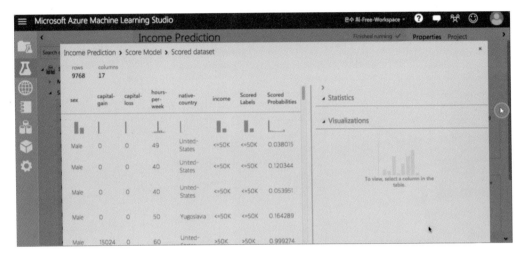

그림 15-33 예측된 값 확인하기

그림 15-34는 Score Model이 예측한 값을 평가한 통계 값을 보는 과정이다. Evaluate Model을 오른쪽 클릭하여 Visualize 항목을 통해 평가한 통계치를 볼 수 있다.

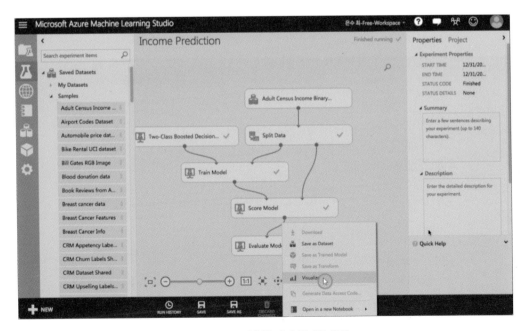

그림 15-34 예측한 값의 통계치 확인

그림 15-35는 모델의 ROC Receiver Operating Curve 곡선이다. ROC 곡선은 거짓 양성 False Positives에 대한 참 양성 True Positives의 비율을 나타내는 그래프이다. ROC 곡선은 이진 분류 모델의 예측 성능을 시각화한 곡선이며, ROC 곡선의 면적이 클수록 더 나은 성능을 보인다. 물론 ROC 곡선의 면적이 1일 경우 오버피팅을 의심해야한다.

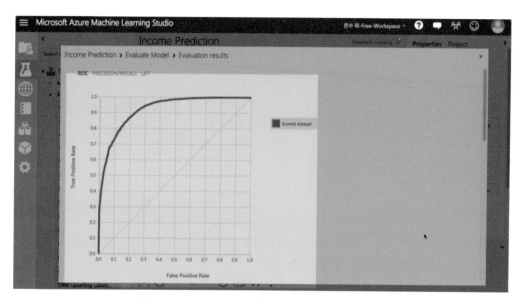

그림 15-35 Evaluate Model을 통한 예측모델의 ROC 곡선

그림 15-36은 Evaluate Model를 통해 데이터 셋 평가 결과가 나오는 것을 볼 수 있다.

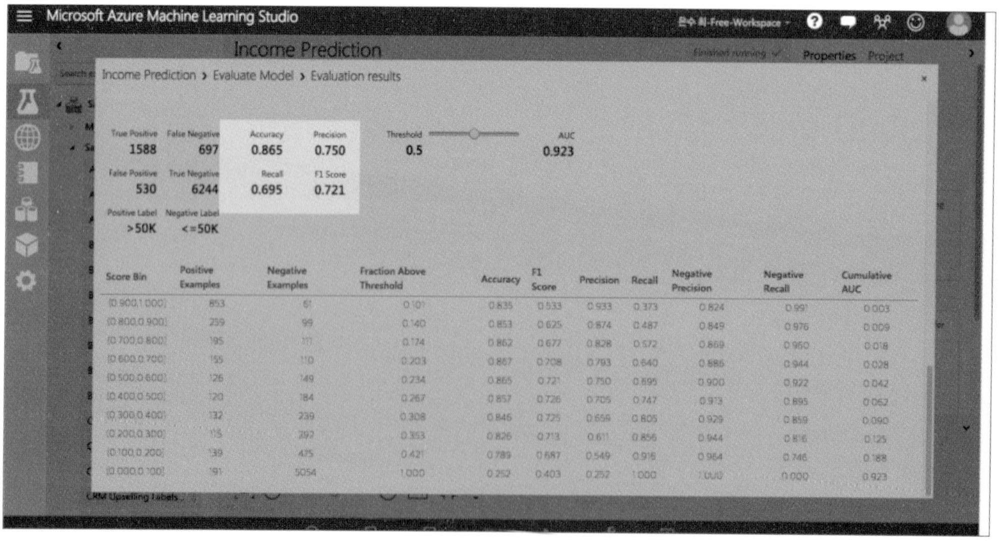

그림 15-36 Evaluate Model을 통한 예측모델의 통계치

표 15-1은 Evaluate Model을 통해 나오는 통계치 용어와 의미를 작성한 표다. 의미가 비슷해보이나 모두 다른 중요한 의미이므로 유심히 봐두자.

표 15-1 모델 성능의 용어와 의미

용어	의미
TP(True Positives, 참 양성)	참으로 예측했고, 데이터가 참일 경우
TN(True Negatives, 참 음성)	참으로 예측했고, 데이터가 거짓일 경우
FP(False Positives, 거짓 양성)	거짓으로 예측했고, 데이터가 참일 경우
FN(False Negatives, 거짓 음성)	거짓으로 예측했고, 데이터가 거짓일 경우
정확도(Accuracy) (TP+TN)/(TP+TN+FP+FN)	나의 예측 값이 정답과 얼마나 정확한가?
정밀도(Precision) TP/(TP+FP)	내가 예측한 값 중에 진짜 예측한 값은 얼마나 있는가?
재현율(Recall) TP/(TP+TN)	전체 참 값 중 내가 맞춘 참 값의 비율

그림 15-37은 예측모델 만드는 튜토리얼이 완료된 장면이다. 약 3분의 짧은 시간이었지만 예측 모델을 만드는 과정을 배울 수 있는 시간이었다. 튜토리얼을 통해 예측 모델을 만들었다면 웹 서비스 연동을 통해 원격으로 예측모델을 사용할 수 있도록 만들어보자. Setup a web Service 버튼을 클릭하여 마저 진행한다. 다음 장의 웹서비스 배포 튜토리얼에서 진행한다.

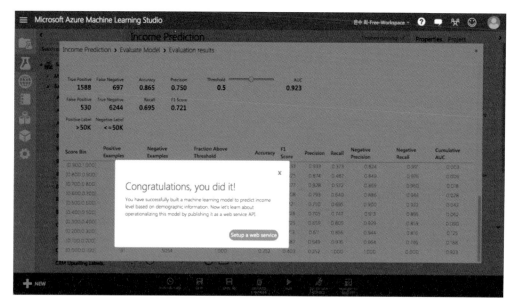

그림 15-37 예측모델 튜토리얼 완료

EXERCISES

1. 선형 회귀 알고리즘을 이용한 자연기후에 따른 산불예측 모델을 구현하시오.

2. 멀티클래스 회귀분석을 이용한 교통사고 예측모델을 구현하시오.

3. 머신러닝을 이용한 간질환 발생 예측 모델을 구현하시오.

4. 머신러닝을 이용한 심장질환 분석에 대한 예측모델을 구현하시오.

5. Two-class neural network를 이용한 베이징 초미세먼지 발생 예측에 관한 모델을 구현하시오.

CHAPTER 16

머신러닝 예제 및 프로젝트

16.1 심장병 예측

이번 장은 UCI에서 제공하는 Heart Disease 데이터 셋을 Two-Class Support Vector Machine과 Muliclass Decision Jungle로 심장병 예측을 하고 예측 결과를 비교와 동시에 Two-Class Decision Jungle을 사용하여 심장병 예측하는 예제이다. Heart Disease 데이터는 아래 주소를 통해 접속하여 확인할 수 있다.

https://archive.ics.uci.edu/ml/datasets/Heart+Disease

데이터 셋의 행의 개수는 303개이며, 속성은 라벨을 포함하여 14개이다. 데이터 셋의 속성명과 속성에 대한 설명은 아래 표 16-1을 통해 확인할 수 있다.

표 16-1 Heart Disease 데이터 셋

속성명	속성 설명
age	나이
sex	성별 (남성 = 1, 여성 = 0)
chestpaintype	병 타입 (전형적 협심증 = 1, 비전형적 협심증 = 2, 협심증이 아닌 타입 = 3, 무증상 = 4)
resting_blood_pressure	안정 혈압
serum_cholestrol	혈청 콜레스테롤 (mg / dl)
fasting_blood_sugar	공복혈당 (공복혈당 > 120 mg/dl) (1 = true; 0 = false)
resting_ecg	안정 심전도 결과 (보통 = 0, ST-T 파형 비정상 = 1, 에스테스의 기준으로 좌심실 비대의 가능성 또는 명확성을 보이는 깃 = 2)
max_heart_rate	최대 심박률

속성명	속성 설명
exercise_induced_angina	운동 유발 협심증 (1 = yes; 0 = no)
st_depression_induced_by_exercise	운동으로 인한 ST 분절 하강치
slope_of_peak_exercise	운동 중 제일 힘들 때 ST 분절의 기울기 (상승중 = 1, 평평함 = 2, 하강중 = 3)
number_of_major_vessel	형광 투시로 채색된 주요 혈관의 수 (0 ~ 3)
thal	탈륨 심장 스캔 결과 (normal = 3, fixed defect = 6, reversible defect = 7)
heart_disease_diag	심장병 진단결과 (아님 = 0, 맞음 = 1 ~ 4)

본 예제는 AI Gallery에서 발췌하여 진행했다. 자세한 내용과 프로젝트 가져오기는 다음의 링크에 접속한다.

https://gallery.azure.ai/Experiment/Heart-Disease-Prediction-2

이번 장에는 UCI 데이터 셋을 URL을 통해 가져온다. 아래 그림 16-1 처럼

http://archive.ics.uci.edu/ml/machine-learning-databases/heart-disease/processed.cleveland.data

주소를 통해 데이터를 CSV 포맷으로 변환하여 가져올 수 있다.

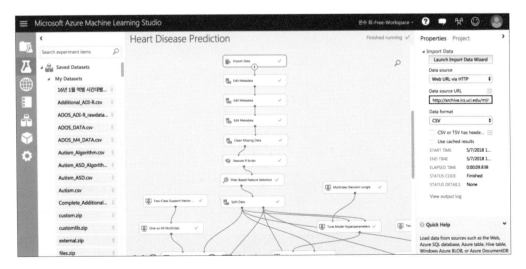

그림 16-1 URL을 통해 데이터 가져오기

URL을 통해 데이터를 가져왔지만, 속성명에 대한 정의가 내려지지 않은 상태이다. Edit Metadata 블록을 통해 순차적으로 정의할 속성명에 대해 작성한다. 작성한 속성명 순서대로 입력된다. 아래의 그림 16-2을 보면, 컬럼에 대해서 순차적으로 속성명이 작성되어있다.

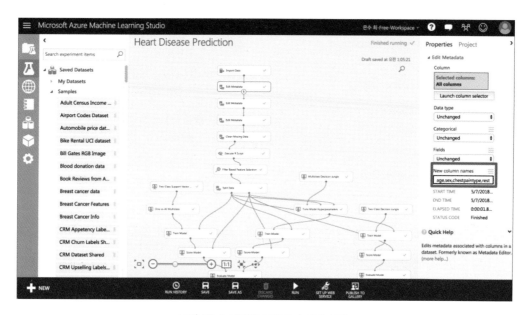

그림 16-2 가져온 데이터 속성명 설정

그림 16-3은 인공지능 적용하기에 앞서 지정된 속성을 정수로 변환하는 장면이다.

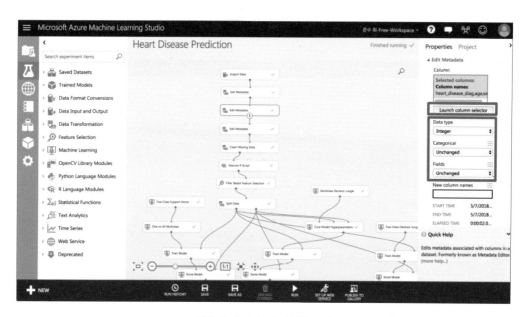

그림 16-3 속성의 타입형 변환

그림 16-4는 인공지능 적용을 위해 변환할 속성인 heart_disease_diag, age, sex를 설정해주는 장면이다.

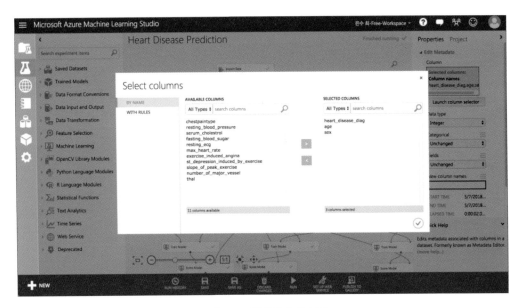

그림 16-4 변환할 속성 선택

그림 16-5는 인공지능 적용하기에 앞서 지정된 속성을 범주형으로 변환하는 장면이다.

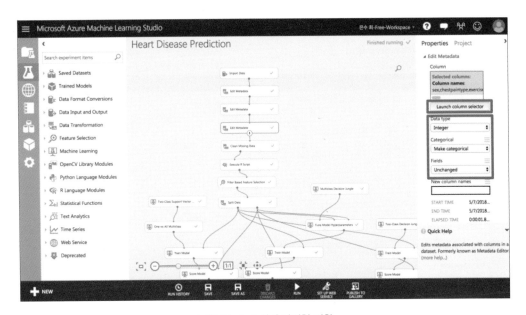

그림 16-5 속성의 타입형 변환

그림 16-6는 인공지능 적용을 위해 범주형으로 변환할 속성인 sex, chestpaintype, exercise_induces_angina, number_of_major_vessel, thal, slope_of_peak_exercise, fasting_blood_suger, resting_ecg 를 설정해주는 장면이다.

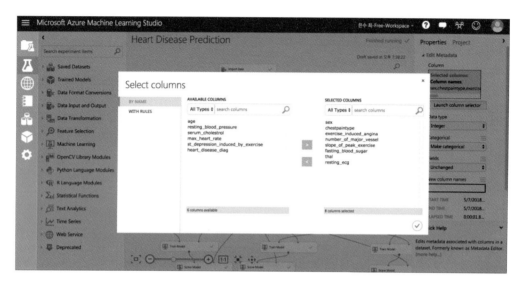

그림 16-6 변환할 속성 선택

가져온 데이터에 대한 전처리가 완료되고, 최종적으로 누락된 데이터가 없는지 Clean Missing Data 블록을 통해 모든 속성을 탐색한다. 그림 16-7은 누락된 데이터를 −1로 채운다.

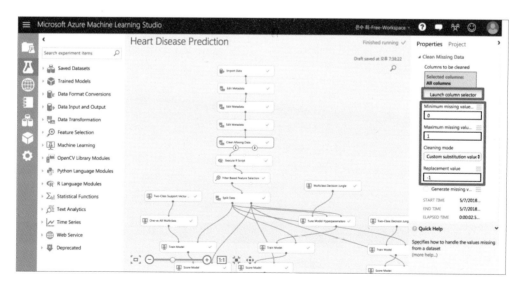

그림 16-7 누락된 데이터 전처리

그림 16-8을 통해 모든 속성에 관해 누락된 데이터에 대해 전처리하는 것을 알 수 있다.

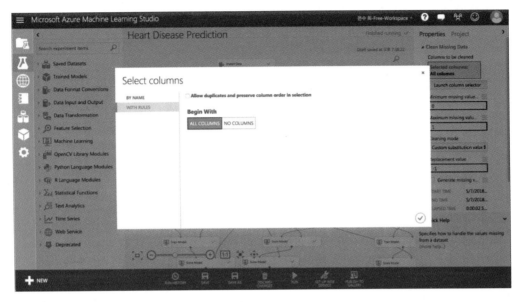

그림 16-8 누락된 데이터 전처리 범위

누락된 데이터 전처리가 완료되면, 예측 모델을 만들기 위한 라벨인 heart_disease_diag 값에 대해 그림 16-9처럼 R 스크립트로 처리를 해주었다.

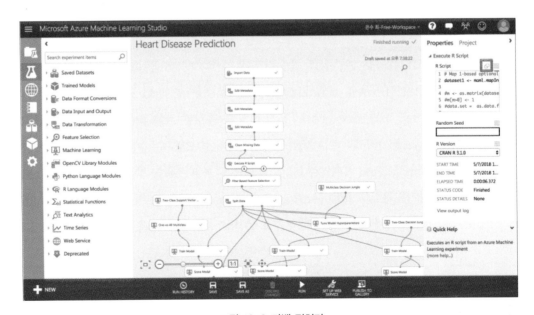

그림 16-9 라벨 전처리

그림 16-10은 heart_disease_diag의 값이 0보다 크면, 1로 대치 한다는 내용의 R 스크립트이다. 2진 알고리즘에 적용하기 위해 심장병 진단 결과를 0(아니요), 1(예)로 변경하였다.

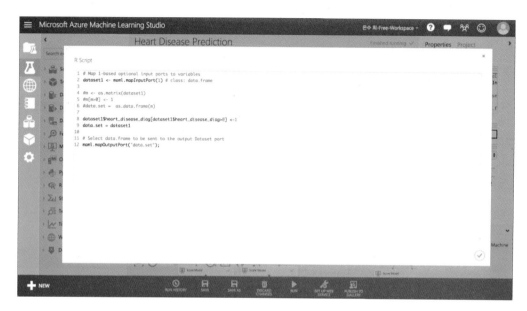

그림 16-10 라벨 전처리 R코드

아래의 그림 16-11은 인공지능 학습에 적용할 속성의 수가 많아 8개의 피처로 줄여주는 장면이다.

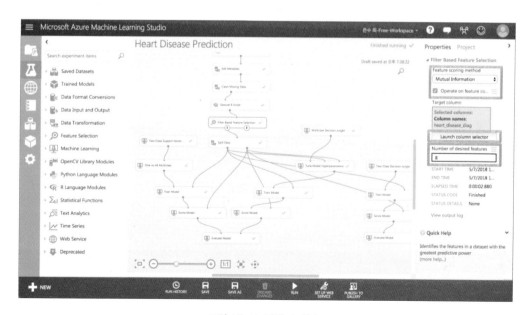

그림 16-11 피처 수 감소

그림 16-12는 라벨인 heart_disease_diag 에 대해 영향력이 큰 피처 8개로 줄이기 위한 설정화면이다.

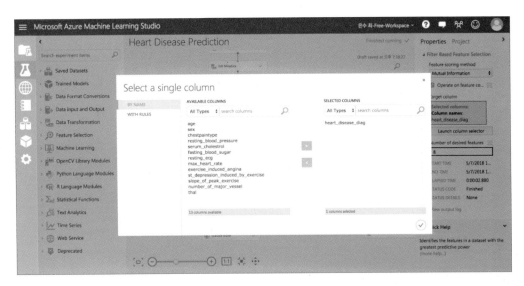

그림 16-12 heart_disease_diag에 영향력이 큰 피처 검색 설정

그림 16-13은 데이터에 대한 전처리가 완료되었고, 예측모델 훈련 및 예측을 위한 데이터 분할을 한 장면이다. 훈련을 위한 데이터는 70%로 예측을 위한 데이터는 30%로 분할하였다.

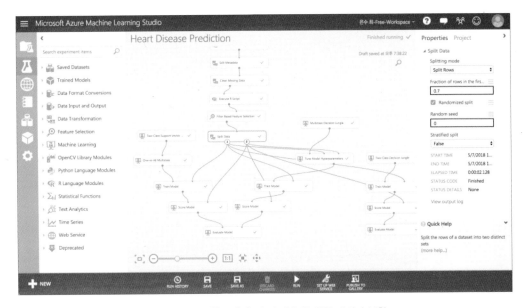

그림 16-13 예측모델 훈련 및 예측을 위한 데이터 분할

그림 16-14는 Two-Class Support Vector Machine 알고리즘을 적용한 예측모델을 위한 배치다.

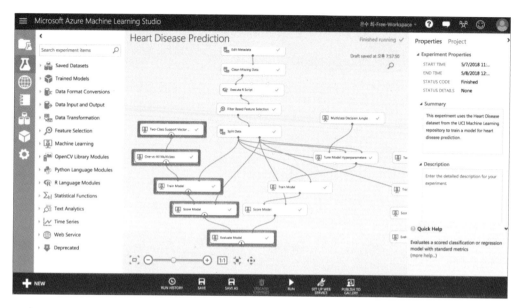

그림 16-14 Two-Class Support Vector Machine 예측모델

그림 16-15는 Two-Class Support Vector Machine 알고리즘을 적용한 모델의 예측 값을 어떤 속성으로 결정할지에 대한 그림이다.

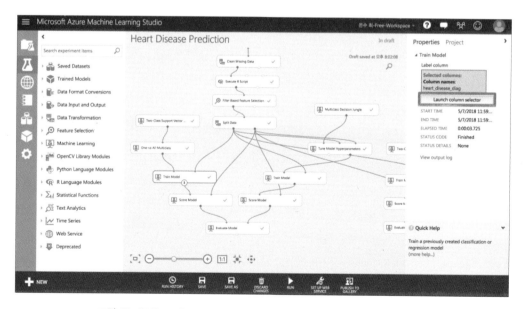

그림 16-15 Two-Class Support Vector Machine 예측모델 훈련라벨 설정

그림 16-16은 Launch Column Selector를 통해 heart_disease_diag 값을 예측모델의 결과 값으로 설정하는 그림이다.

그림 16-16 Two-Class Support Vector Machine 예측모델 훈련라벨 설정

그림 16-17은 Multiclass Decision Jungle 알고리즘을 적용한 예측모델을 위한 배치다.

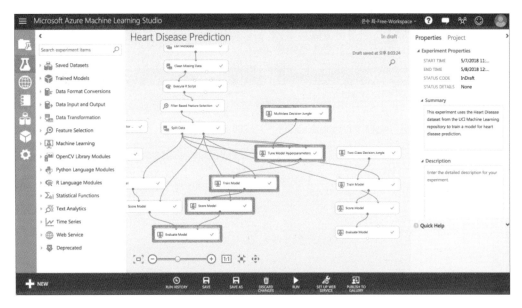

그림 16-17 Multiclass Decision Jungle 예측모델

그림 16-18은 모델 조정 하이퍼 매개 변수 모듈을 활용하여 주어진 알고리즘 및 데이터 집합에 대한 최상의 매개 변수인 heart_disease_diag를 경험적으로 선택하는 장면이다. 정확도를 타겟으로 잡아 적용하였다.

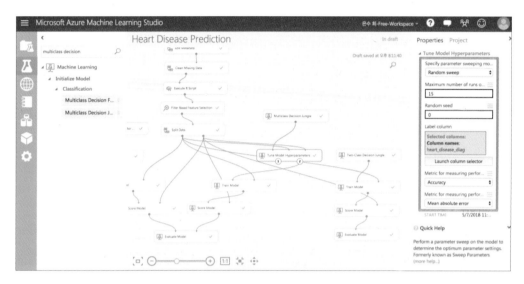

그림 16-18 모델 조정 하이퍼 매개 변수 모듈을 활용

그림 16-19는 Multiclass Decision Jungle 알고리즘을 적용한 모델의 예측 값을 어떤 속성으로 결정할지에 대한 그림이다. Two-Class Support Vector Machine 예측 모델과 같이 heart_disease_diag로 설정하였다.

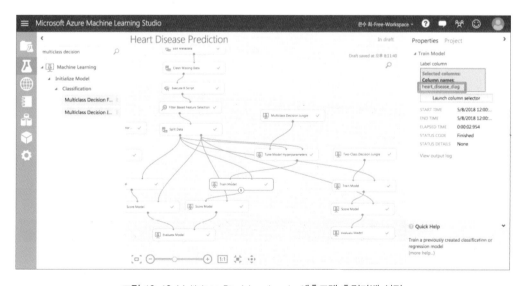

그림 16-19 Multiclass Decision Jungle 예측모델 훈련라벨 설정

그림 16–20은 Two–Class Decision Jungle 알고리즘을 적용한 예측모델을 위한 배치다.

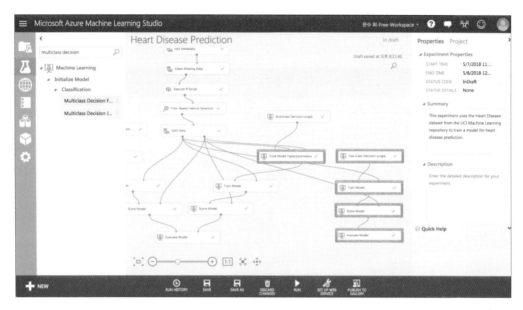

그림 16–20 Two–Class Decision Jungle 예측모델

그림 16–21은 Two–Class Decision Jungle 검증 알고리즘을 적용한 모델의 예측 값을 어떤 속성으로 결정할지에 대한 그림이다. Multiclass Decision Jungle 예측 모델과 같이 heart_disease_diag로 설정하였다.

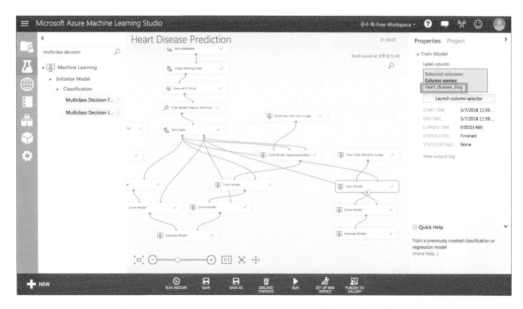

그림 16–21 Two–Class Decision Jungle 검증 예측모델 훈련라벨 설정

그림 16-22는 Two-Class Support Vector Machine과 Multiclass Decision Jungle의 예측결과와 정확도, 정밀도, 재현율을 비교한 사진이다. 비교결과 Multiclass Decision Jungle의 경우 보다 정확도, 정밀도, 재현율이 높은 것을 확인할 수 있다.

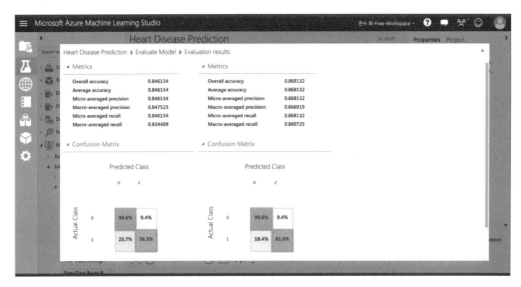

그림 16-22 Two-Class Support Machine, Multiclass Decision Jungle 예측결과 및 검증

그림 16-23은 Two-Class Decision Jungle의 ROC 모델이다. ROC 모델의 넓이를 보아 매우 잘 만들어진 모델인 것을 확인할 수 있다.

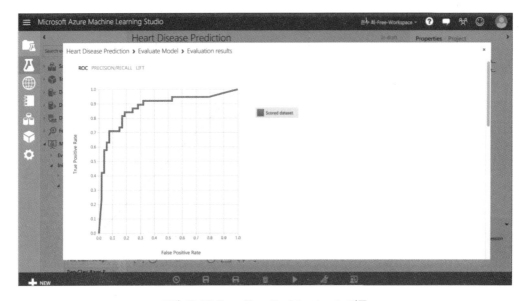

그림 16-23 Two-Class Decision Jungle 검증

그림 16-24처럼 Two-Class Decision Jungle의 정확도, 정밀도, 재현율 등을 확인할 수 있다.

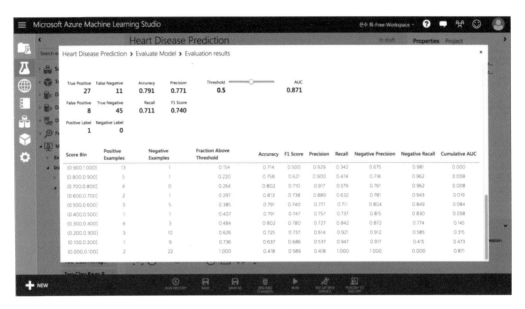

그림 16-24 Two-Class Decision Jungle 검증

16.2 머신러닝 프로젝트

실제 데이터를 사용하여 예측 모델을 만들어보자. 이번 장은 UCI에서 제공하는 자동차 데이터 세트를 선형회귀Linear Regression 알고리즘을 적용하여 자동차 가격을 예측go 보고 자 한다. Automobile Data Set를 University of California, Irvine(UCI) Machine Learning Repository에서 데이터 세트 정보를 참고 해보자. Automobile Data Set에 관한 정보는 아래 링크를 통해 확인할 수 있으며, 예측 모델에 학습시킬 데이터 세트는 Azure Machine Learning Studio 탐색 팔레트에서 검색하여 찾을 수 있다. https://archive.ics.uci.edu/ ml/datasets/Automobile 에서 Automobile Data Set에 대한 자료를 선택하여 활용하면 된 다. UCI의 자료를 활용하여 자동차 가격을 회귀분석을 통하여 예측해 보자.

EXERCISES

1. Two-Class Support Vector Machine에 대하여 설명하시오.

2. 심장병 예측을 위해서 Heart Disease 데이터를 어떻게 활용할지를 설명하시오.

3. 우리나라에서 데이터를 무료로 활용할 수 있는 방법이나 사이트를 검색해보시오.

참고문헌

- 'What Makes For A Successful AR/VR Experience?', by Giselle Abramovich . Executive Editor,
- Enterprise Thought Leadership . Adobe January 29, 2018
- [소프트웨어 교육] 소프트웨어에 대하여 | 작성자 Creative IT
- Jeannette M. Wing, "Computational Thinking", COMMUNICATIONS OF THE ACM March
- https://playdata.io/tutorials/sql/
- https://www.rhipe.com/category/article/
- http://www.science.go.kr/
- http://organicmedialab.com/2018/01/12/what-blockchains-dream/
- https://kr.123rf.com/photo
- 프로그래밍 입문 : https://www.opentutorials.org/course/2471/13908
- https://ko.wikipedia.org/wiki/
- https://medium.com/loom-network-korean/
- https://mixedcode.com/Article/Indexaidx=1067
- https://ko.wikipedia.org/wiki/
- http://www.software.kr/mb/
- https://nanite.tistory.com/
- http://sw.tta.or.kr/popup/pop_sc_view_all.jsp 소프트웨어 분류
- https://www.scienceall.com/
- http://www.eewebinar.co.kr/maxim/techarticle_view.asplist=5&idx=305
- https://ko.depositphotos.com/
- http://infact.co.kr/?page_id=867
- https://www.bentley.com/ko/products/product-line/

- https://x86.co.kr/qa/2188852
- https://www.tiobe.com/tiobe-index/ 2019 프로그램언어 순위
- https://mathemedicine.github.io/deep_learning.html
- https://projectresearch.co.kr/2017/06/14/%EB%A8%B8%EC%8B%A0%EB%9F%AC%EB%8B%9Dml%EC%9D%98-%EA%B0%84%EB%9E%B5%ED%95%9C-%EC%97%AD%EC%82%AC/
- https://docs.microsoft.com/ko-kr/azure/machine-learning/studio/algorithm-choice
- https://www.slideshare.net/medit74/ss-74123546?qid=5a76f350-f606-4cb0-aa56-7527fc1d7a67&v=&b=&from_search=2
- http://blogs.nvidia.co.kr/2016/08/03/difference_ai_learning_machinelearning/190925
- Arduino, 나무위키, https://namu.wiki/w/Arduino
- https://archive.ics.uci.edu/ml/datasets

▪ 그림 출처

- http://truemind5.blogspot.com/2017/03/03-1.html
- https://www.cmo.com/features/articles/2018/1/5/what-goes-into-a-successful-arvrexperience-exb.html#gs.ehk2wv
- 미래 디지털 인재 정의에 관한 연구, 소프트웨어정책연구소, 공영일,이호,김경규. 2016
- http://www.freeqration.com/image/얼간이-컴퓨터-코딩-자료-우상-컴퓨터아이콘-1625324
- http://azm.co.kr/?portfolio=%EC%86%8C%ED%94%84%ED%8A%B8%EC%9B%A8%EC%96%B4%EC%97%85%EC%B2%B4_%ED%8C%A8%ED%82%A4%EC%A7%80
- https://www.google.co.kr/searchsa=G&hl=ko&q=diagram&tbm=isch&tbs=simg: CAQSkwEJZcY9D5u4QLoahwELEKjU2AQaAAwLELCMpwgaYgpgCAMSKM4Sowr xBqIKwAP5Bs8SgaFA90CTO8KJQ0kzS2J_1k9lT2ZPZ49lD0aMBu1_1_1EqQl9NjWS ryrN4zoosbe7ikcBJ8O_1tcrU0T2mhJvnolFFgF1xYXRITXKx0tCAEDAsQjq7-CBoKC

ggIARIEgz7MrQw&ved=0ahUKEwjr16rk9-_jAhXKPXAKHRo0A48Qwg4IKygA&bi
w=1937&bih=939&dpr=0.99#imgrc=0mqxXSLZQzED3M:&spf=1565152600159

- https://ajiprayoga10.wordpress.com/
- https://www.google.co.kr/searchhl=ko&tbm=isch&sa=1&ei=6VVKXcKmHpq-
  wAPO2rrYCg&q=g102%EC%84%A4%EC%A0%95&oq=g102%EC%84%A4%EC%A
  0%95&gs_l=img.3..0i24.144334.146599..146710...0.0..0.151.1389.1j10......0....1..
  gws-wiz-img.....0..0j0i30.1Q5cqkVvZBc&ved=&uact=5#imgrc=sFQk5sTXmH7JG
  M:&spf=1565152891892
- https://www.alamy.com/stock-photo-database-software-indicating-shareware-
  softwares-and-programming-87659036.html
- https://www.bentley.com/es/products/product-line/utilities-and-communi-
  cationsnetworks-software/bentley-coax
- https://www.eenewseurope.com/design-center/implementing-secure-authenti-
  cationwithout-being-cryptography-expert/page/0/4
- http://infact.co.kr/?page_id=867
- https://www.tiobe.com/tiobe-index/

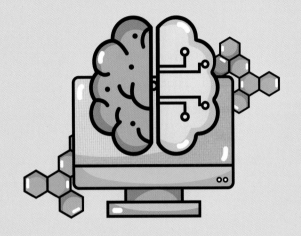

INDEX